COMMENT C'EST

DU MEME AUTEUR

Romans et Nouvelles

Murphy, 1947.
Molloy, 1951.
Malone meurt, 1952.
L'innommable, 1953.
Nouvelles et textes pour rien, 1955.
Têtes-mortes, 1967.
Watt, 1968.

Théâtre et Radio

En attendant Godot, 1952.
Fin de partie, *suivi de* Acte sans paroles I, 1957.
Tous ceux qui tombent, 1957.
La dernière bande, *suivi de* Cendres, 1959.
Oh les beaux jours, 1963.
Comédie et actes divers, 1966.

SAMUEL BECKETT

COMMENT C'EST

LES ÉDITIONS DE MINUIT

L'ÉDITION ORIGINALE DE CET OUVRAGE A ÉTÉ TIRÉE A QUATRE-VINGT HUIT EXEMPLAIRES SUR ALFA MOUSSE NAVARRE DONT QUATRE-VINGT EXEMPLAIRES NUMÉROTÉS DE 1 A 80 ET HUIT EXEMPLAIRES HORS-COMMERCE NUMÉROTÉS DE H.-C. I A H.-C. VII.

IL A ÉTÉ TIRÉ EN OUTRE CENT DIX EXEMPLAIRES SUR ALFA MOUSSE NAVARRE RÉSERVÉS AU CLUB DE L'ÉDITION ORIGINALE DONT CENT EXEMPLAIRES NUMÉROTÉS DE C. 1 A C. 100 ET DIX EXEMPLAIRES HORS-COMMERCE MARQUÉS H.-C. CLUB.

1

comment c'était je cite avant Pim avec Pim après Pim comment c'est trois parties je le dis comme je l'entends

voix d'abord dehors quaqua de toutes parts puis en moi quand ça cesse de haleter raconte-moi encore finis de me raconter invocation

instants passés vieux songes qui reviennent ou frais comme ceux qui passent ou chose chose toujours et souvenirs je les dis comme je les entends les murmure dans la boue

en moi qui furent dehors quand ça cesse de haleter bribes d'une voix ancienne en moi pas la mienne

ma vie dernier état mal dite mal entendue mal retrouvée mal murmurée dans la boue brefs mouvements du bas du visage pertes partout recueillie quand même c'est mieux quelque part telle quelle au fur à mesure mes instants pas le millionème tout perdu presque tout quelqu'un qui écoute un autre qui note ou le même

ici donc première partie comment c'était avant Pim ça suit je cite l'ordre à peu près ma vie dernier état ce qu'il en reste des bribes je l'entends ma vie dans l'ordre plus ou moins je l'apprends je cite un moment donné loin derrière un temps énorme puis à partir de là ce moment-là et suivants quelques-uns l'ordre naturel des temps énormes

première partie avant Pim comment échoué ici pas question on ne sait pas on ne dit pas et le sac d'où le sac et moi si c'est moi pas question impossible pas la force sans importance

la vie la vie l'autre dans la lumière que j'aurais eue par instants pas question d'y remonter personne pour m'en demander tant jamais été quelques images par instants dans la boue terre ciel des êtres quelques-uns dans la lumière parfois debout

le sac seul bien au toucher un petit à charbon cinquante kilos jute humide je le serre il dégoutte au présent mais loin loin un temps énorme le début cette vie-ci premier signe de vie tout à fait puis me soulève sur le coude je cite je me vois y plonge dans le sac on parle du sac y plonge le bras compte les boîtes impossible d'une main essaie toujours un jour ce sera possible

faire tomber les boîtes dans la boue les remettre dans le sac une à une impossible pas la force peur d'en perdre

inappétence une miette de thon puis manger moisi allons j'en ai j'en aurai toujours pour un moment

la boîte entamée remise dans le sac gardée à la main j'y pense l'appétit revenu ou n'y pense plus en ouvre une autre c'est l'un ou l'autre quelque chose là qui ne va pas c'est le début de ma vie présente rédaction

autres certitudes la boue le noir récapitulons le sac les boîtes la boue le noir le silence la solitude tout pour le moment

je me vois à plat ventre ferme les yeux pas les bleus les autres derrière et me vois sur le ventre j'ouvre la bouche la langue sort va dans la boue une minute deux minutes et de soif non plus pas question de mourir pendant ce temps un temps énorme

vie dans la lumière première image un quidam quelconque je le regardais à ma manière de loin en dessous dans un miroir la nuit par la fenêtre première image je me disais il est mieux mieux qu'hier moins laid moins bête moins méchant moins sale moins vieux moins malheureux et moi je me disais et moi suite ininterrompue d'altérations définitives

quelque chose là qui ne va pas

je me disais ça ne va pas plus mal je me trompais

je pissais et chiais autre image dans mon moïse jamais aussi propre depuis

je découpais aux ciseaux en minces rubans les ailes des papillons l'une puis l'autre et quelquefois pour varier les deux de front je remettais en liberté le corps au milieu jamais aussi bon depuis

c'est fini pour le moment là je quitte je l'entends le murmure à la boue là je quitte pour l'instant la vie dans la lumière ça s'éteint

sur le ventre dans la boue le noir je me vois ce n'est qu'une halte je voyage qu'un repos

questions si je perdais l'ouvre-boîte voilà un autre objet ou quand le sac sera vide ce genre

abjectes abjectes époques héroïques vues des suivantes à quand la dernière quand ma belle chaque rat a sa blütezeit je le dis comme je l'entends genoux remontés dos en cerceau je serre le sac contre mon ventre là alors je me vois sur le flanc je le tiens le sac on parle du sac d'une main derrière le dos je le glisse sous ma tête sans le lâcher je ne le lâche jamais

quelque chose là qui ne va pas

pas crainte je cite de le perdre autre chose on ne sait pas on ne dit pas quand il sera vide j'y mettrai la tête puis les épaules ma tête en touchera le fond

autre image déjà une femme lève la tête et me regarde les images viennent au début première partie elles vont cesser je le dis comme je l'entends le murmure dans la boue les images première partie comment c'était avant Pim je les vois dans la boue ça s'allume elles vont cesser une femme je la vois dans la boue

elle est loin dix mètres quinze mètres elle lève la tête me regarde se dit enfin c'est bien il travaille

ma tête où est ma tête elle repose sur la table ma main tremble sur la table elle voit bien que je ne dors pas le vent souffle impétueux les petits nuages vont vite la table vogue de la clarté à l'ombre de l'ombre à la clarté

ce n'est pas fini elle reprend les yeux vagues son ouvrage l'aiguille s'arrête au beau milieu du point elle se redresse et me regarde de nouveau elle n'a qu'à m'appeler par mon nom se lever venir me palper mais non je ne bouge pas son trouble va croissant elle quitte brusquement la maison et court chez des amis

c'est fini ce n'était pas un rêve je ne rêvais pas ça ni un souvenir on ne m'a pas donné de souvenirs cette fois c'était une image comme j'en vois quelquefois dans la boue comme j'en voyais

d'un geste de donneur de cartes et qu'on peut voir aussi chez certains semeurs de grain je jette les boîtes vides elles retombent sans bruit

elles retombent si je peux en croire celles que parfois je retrouve sur mon chemin et jette alors vivement de nouveau

tiédeur de boue originelle noir impénétrable

soudain comme tout ce qui n'était pas puis est je m'en vais pas à cause des saletés autre chose on ne sait pas on ne dit pas d'où préparatifs brusque série sujet objet sujet objet coup sur coup et en avant

je prends la corde dans le sac voilà un autre objet ferme le haut du sac me le pend au cou je sais que j'aurai besoin des deux mains ou l'instinct c'est l'un ou l'autre et en avant jambe droite bras droit pousse tire dix mètres quinze mètres halte dans le sac donc jusqu'à présent les boîtes l'ouvre-boîte la corde mais le désir d'autre chose on ne semble pas me l'avoir donné cette fois l'image d'autres choses là avec moi dans la boue le noir dans le sac à ma portée non on ne semble pas avoir mis ça dans ma vie cette fois

choses utiles un linge pour m'essuyer ce genre ou belles au toucher

qu'ayant cherchées en vain parmi les boîtes tantôt l'une tantôt l'autre suivant le désir l'image du moment que m'étant fatigué à chercher ainsi je pourrais me promettre de chercher de nouveau plus tard quand je serais moins fatigué un peu moins fatigué ou tâcher d'oublier en me disant c'est vrai c'est vrai n'y pense plus

non l'envie d'être un peu moins mal l'envie d'un peu de beauté quand ça cesse de haleter je n'entends rien de tel on ne me raconte pas comme ça cette fois

ni de visiteurs dans ma vie cette fois nulle envie de visiteurs accourus de toutes parts toutes sortes me parler d'eux de la vie de la mort comme si de rien n'était de moi peut-être à la fin m'aider à durer puis adieu à la prochaine chacun vers ses horizons

toutes sortes des vieux comme ils m'avaient fait sauter sur leurs genoux petit ballot de linge et de dentelles puis suivi dans ma carrière d'autres ne sachant rien de mes débuts hormis ce qu'ils avaient pu glaner par ouï-dire et dans les archives

d'autres ne m'ayant connu que là à ma dernière place ils me parlent d'eux de moi peut-être à la fin de joies éphémères et de peines d'empires qui meurent et naissent comme si de rien n'était

d'autres enfin ne me connaissent pas encore ils passent à pas pesants en marmottant tout seuls ils se sont réfugiés dans un lieu désert pour être seuls enfin exhaler sans se trahir ce qu'ils ont sur le cœur

s'ils me voient je suis un monstre des solitudes il voit l'homme pour la première fois et ne s'enfuit pas les explorateurs ramènent la peau dans leurs bagages

soudain au loin le pas la voix rien puis soudain quelque chose quelque chose puis soudain rien soudain au loin le silence

vivre donc sans visiteurs présente rédaction sans autres histoires que les miennes autres bruits que les miens autre silence que celui que je dois rompre si je n'en veux plus c'est avec ça que je dois durer

question si d'autres habitants évidemment tout est là les trois quarts et là long débat d'un minutieux à faire craindre par moments que oui mais enfin conclusion non moi seul élu ça cesse de haleter et je n'entends que cela à peine la question la réponse tout bas si d'autres habitants que moi ici avec moi à demeure dans le noir la boue long débat perdu conclusion non moi seul élu

un rêve néanmoins on me donne un rêve comme à quelqu'un qui aurait goûté de l'amour d'une petite femme à ma portée et rêvant elle aussi c'est dans le rêve aussi d'un petit homme à la sienne j'ai ça dans ma vie cette fois quelquefois première partie pendant le voyage

ou faute d'une viande congénère un lama rêve de repli un lama alpaga l'histoire que j'avais la naturelle

il ne viendrait pas à moi j'irais à lui me blottir dans sa toison mais on ajoute qu'une bête ici non l'âme est de rigueur l'intelligence aussi un minimum de chaque sinon trop d'honneur

je me tourne vers ma main la libre je la porte vers mon visage c'est une ressource quand tout fait défaut images rêves sommeil matière à réflexion quelque chose là qui ne va pas

et défaut les grands besoins le besoin d'aller plus loin le besoin de manger et vomir et les autres grands besoins toutes mes grandes catégories d'existence alors vers elle ma main la libre plutôt qu'une autre partie du corps je le dis comme je l'entends brefs mouvements du bas du visage avec murmure dans la boue

elle arrive près de mes yeux je ne la vois pas je ferme les yeux il manque quelque chose alors qu'en temps normal fermés ouverts mes yeux

si cela ne suffit pas je l'agite ma main on parle de ma main dix secondes quinze secondes je ferme les yeux un rideau tombe

si cela ne suffit pas je me la pose sur le visage elle le recouvre entièrement mais je n'aime pas me toucher on ne m'a pas laissé ça cette fois

je l'appelle elle ne vient pas il me la faut absolument je l'appelle de toutes mes forces ce n'est pas assez fort je redeviens mortel

ma mémoire évidemment ça cesse de haleter et question de ma mémoire évidemment là aussi tout est là aussi les trois quarts cette voix est vraiment changeante dont si peu en moi encore des bribes à peine audibles quand ça cesse de haleter si peu si bas pas le millionième peut-être je le dis comme je l'entends le murmure à la boue chaque mot toujours

quoi sur elle ma mémoire on parle de ma mémoire peu de chose qu'elle s'améliore elle empire qu'il me revient des choses il ne me revient rien mais de là à être sûr à être sûr que personne ne viendra plus jamais braquer sa lampe sur moi et plus jamais rien d'autres jours d'autres nuits non

ensuite une autre image encore une déjà la troisième peut-être elles cesseront bientôt c'est moi en entier et le visage de ma mère je le vois d'en dessous il ne ressemble à rien

nous sommes sur une véranda à claire-voie aveuglée de verveine le soleil embaumé paillette le dallage rouge parfaitement

la tête géante coiffée de fleurs et d'oiseaux se penche sur mes boucles les yeux brûlent d'amour sévère je lui offre pâles les miens levés à l'angle idéal au ciel d'où nous vient le secours et qui je le sais peut-être déjà avec le temps passera

bref raide droit à genoux sur un coussin flottant dans une chemise de nuit les mains jointes à craquer je prie selon ses indications

ce n'est pas fini elle ferme les yeux et psalmodie une bribe du crédo dit apostolique je fixe furtif ses lèvres

elle achève ses yeux se rallument je relève vite les miens et répète de travers

l'air vibre du bourdonnement des insectes

c'est fini ça s'éteint comme une lampe qu'on souffle

un instant durant l'instant qui passe c'est tout mon passé petit rat sur mes talons le reste faux

faux ce vieux temps première partie comment c'était avant Pim un temps énorme où tout étonné de le pouvoir je me traîne et me traîne la corde me sciant le cou le sac bringuebalant à mes côtés une main jetée en avant vers le mur la fosse qui ne viennent jamais quelque chose là qui ne va pas

et Pim deuxième partie ce que je lui ai fait ce qu'il a dit

fictions comme cette tête morte la main qui vit encore la petite table ballottée par les nuages la femme qui se lève d'un bond et se jette dehors dans le vent

n'importe je ne dis plus je cite toujours est-ce moi est-ce moi je ne suis plus celui-là cette fois on m'a supprimé ça je dis seulement comment durer comment durer

première partie avant Pim avant la découverte de Pim en finir avec ça plus que la deuxième avec Pim comment c'était puis la troisième après Pim comment c'était comment c'est des temps énormes

mon sac seul variable mes jours mes nuits mes saisons et mes fêtes il me dit Pâques éternelles puis d'un bond la Toussaint pas d'été cette année-là si c'est la même peu de vrai printemps grâce à mon sac si je meurs encore dans une époque mourante mes boîtes toutes sortes allant diminuant mais moins vite que l'appétit différentes formes aucune préférence mais les doigts qui savent à peine refermés au petit bonheur

allant diminuant de quelle étrange façon mais quoi d'étrange ici comme étales pendant des années puis soudain moitié moins

ces mots de ceux pour qui sous qui la terre tourne et tout tourne ces mots encore ici jours nuits années saisons cette famille

les doigts qui se trompent la bouche résignée a une olive qui reçoit une cerise mais pas de préférence je ne cherche pas ni un langage à ma mesure à la mesure d'ici je ne cherche plus

le sac quand il sera vide mon sac une possession ce mot qui siffle tout bas ici une possession bref abîme et apposition enfin anomalie anomalie un sac ici mon sac quand il sera vide bah j'ai le temps des siècles

des siècles je me vois tout petit tel à peu près que déjà mais encore plus petit tout petit plus d'objets plus de vivres et je vis l'air me nourrit la boue je vis toujours

le sac encore d'autres rapports je le prends dans mes bras lui parle y fourre ma tête y frotte ma joue y pose ma bouche m'en détourne avec humeur m'y presse de nouveau lui dis toi toi je dis je dis première partie aucun son les syllabes remuent mes lèvres et tout autour tout le bas ça m'aide à comprendre

voilà la parole qu'on m'a donnée première partie avant Pim question si j'en use beaucoup on ne dit pas ou je n'entends pas c'est l'un ou l'autre on dit qu'un témoin qu'il me faudrait un témoin

il vit penché sur moi voilà la vie qu'on lui a donnée toute ma surface visible plongée dans la lumière de ses lampes quand je m'en vais il me suit courbé en deux

il a un aide assis un peu à l'écart il lui annonce brefs mouvements du bas du visage l'aide l'inscrit dans son registre

ma main ne vient pas les mots ne viennent pas aucun mot même muet j'en ai besoin d'un mot de ma main grand besoin je ne peux pas ca aussi

détérioration du sens de l'humour moins de pleurs aussi ça aussi ça manque aussi et là image encore un garçon assis sur un lit dans le noir ou un petit vieux je ne vois pas il tient sa tête entre les mains qu'elle soit jeune ou qu'elle soit vieille je m'approprie ce cœur

question si je suis heureux au présent toujours des choses si anciennes si je suis un peu heureux quelquefois première partie avant Pim bref abîme et tout bas non je le sentirais et petite apostille tout bas pas fait peu fait pour le bonheur le malheur le calme de l'âme

des rats non cette fois plus de rats je les ai écœurés quoi encore à cette époque première partie avant Pim un temps énorme

crochue pour la prise la main plonge au lieu de la fange familière une fesse sur le ventre lui aussi avant ça quoi encore ça suffit je pars

pas les saletés autre chose je repars sac au cou je suis prêt première chose donner du champ à une jambe laquelle bref abîme tout bas la droite c'est mieux

je me mets sur le flanc lequel le gauche c'est mieux jette en avant la main droite plie le genou droit ces articulations jouent les doigts s'enfoncent le bout du pied s'enfonce ce sont les prises fange est trop dire prises est trop dire tout est trop dire je le dis comme je l'entends

pousse tire la jambe se détend le bras se plie toutes ces articulations jouent la tête arrive au niveau de la main sur le ventre repos

l'autre flanc jambe gauche bras gauche pousse tire la tête et le haut du tronc décollent autant de friction en moins retombent je rampe l'amble dix mètres quinze mètres halte

sommeil durée du sommeil je me réveille pas de combien vers le dernier fantaisie on me donne une fantaisie ça cesse de haleter et horloge à air vital la tête dans le ballon oxygène pour trente minutes réveil par asphyxie plus qu'à recommencer quatre fois six fois ça suffit je suis fixé reposé les forces sont revenues la journée peut commencer ces bribes tout bas d'une fantaisie

toujours sommeil peu de sommeil comme ça cette fois qu'on essaie de me raconter englouti revomi bâillant bâillant toujours sommeil peu de sommeil

cette voix quaqua puis en moi quand ça cesse de haleter troisième partie après Pim pas avant pas avec j'ai voyagé trouvé Pim perdu Pim c'est fini je suis dans la troisième partie après Pim comment c'était comment c'est je le dis comme je l'entends dans l'ordre plus ou moins des bribes dans la boue ma vie la murmure à la boue

je l'apprends dans l'ordre à peu près avant Pim avec Pim des temps énormes ma vie disparue comment c'était puis après maintenant après Pim comment c'est ma vie des bribes

je la dis comme elle vient dans l'ordre mes lèvres remuent je les sens elle sort dans la boue ma vie ce qu'il en reste mal dite mal entendue mal retrouvée quand ça cesse de haleter mal murmurée à la boue au présent tout ça des choses si anciennes l'ordre naturel le voyage le couple l'abandon tout ça au présent tout bas des bribes j'ai fait le voyage trouvé Pim perdu Pim c'est fini cette vie ces époques de cette vie première deuxième c'est la troisème ça halète cesse de haleter et j'entends tout bas comment je voyage avec mon sac mes boîtes dans le noir la boue rampe l'amble vers Pim sans le savoir des bribes au présent des choses si anciennes les entends les murmure telles quelles tout bas à la boue

première partie avant Pim je voyage ça ne peut plus durer ça dure je suis plus calme on croit qu'on est calme et on ne l'est pas au plus bas et on est au bord je le dis comme je l'entends et que la mort la mort si jamais elle vient c'est tout ça meurt

ça meurt et je vois un crocus dans un pot dans une courette au sous-sol un safran le soleil grimpe le long du mur une main l'y maintient cette fleur jaune dans le soleil au moyen d'une corde je vois la main longue image des heures le soleil disparaît le pot redescend se pose sur le sol la main disparaît le mur disparaît

loques de vie dans la lumière j'entends sans nier sans croire je ne dis plus qui parle ça ne se dit plus ça doit être sans intérêt mais des mots comme maintenant avant Pim ça non ça ne se dit pas que les miens mes mots à moi quelques-uns muets brefs mouvements tout le bas aucun son quand je peux c'est la différence grande confusion je vois toutes grandeurs nature comprise si c'est la mienne ça s'allume dans la boue la prière la tête sur la table le crocus le vieux en larmes les larmes derrière les mains des ciels toutes sortes différentes sortes sur terre sur mer du bleu soudain or et vert de la terre soudain dans la boue

mais des mots comme maintenant des mots pas les miens avant Pim ça non ça ne se dit pas c'est la différence je l'entends entre alors et maintenant une des différences parmi les similitudes

les mots de Pim sa voix extorquée il se taît j'interviens tout le nécessaire il reprend je l'écouterais toujours mais les miens en finir avec les miens l'ordre naturel avant Pim le peu que je dis aucun son le peu que je vois d'une vie sans nier sans croire mais à quoi croire au sac peut-être au noir à la boue à la mort peut-être pour finir après tant de vie il y a des moments

comment échoué ici si c'est moi pas question pas la force sans intérêt mais ici l'endroit où je commence cette fois présente rédaction première partie ma vie serre le sac il dégoutte premier signe cet endroit quelques bribes

on est là quelque part en vie quelque part un temps énorme puis c'est fini on n'y est plus puis de nouveau on est là de nouveau ce n'était pas fini une erreur c'est à recommencer plus ou moins au même endroit à un autre comme lorsque nouvelle image là-haut dans la lumière on reprend à l'hôpital connaissance dans le noir

le même que lequel quel endroit on ne dit pas je n'entends pas c'est l'un ou l'autre le même plus ou moins plus humide moins de lueurs aucune lueur qu'est-ce à dire que j'ai été quelque part où il y avait des lueurs je le dis comme je l'entends chaque mot toujours

plus humide moins de lueurs aucune lueur et les bruits tus les chers bruits prétexte à spéculation j'ai dû glisser on est au plus bas c'est la fin on n'est plus on glisse c'est la suite

une autre époque encore une familière malgré ces étrangetés ce sac cette fange la douceur de l'air le noir de four les images en couleur pouvoir se traîner toutes ces étrangetés

mais progrès proprement dits ruines en perspective comme au cher dixième au cher vingtième de quoi pouvoir dire à part soi à un bleu de rêve ah si tu avais vu il y quatre cents ans quels bouleversements

ah mon jeune ami ce sac si tu l'avais vu je pouvais à peine le traîner et maintenant regarde mon vertex en touche le fond

et moi pas une ride pas une

au bout des myriades d'heures une heure mienne quinze minutes il y a des moments c'est que j'ai souffert dû souffrir moralement espérer à plusieurs reprises désespérer de même le cœur saigne on perd le cœur goutte à goutte pleure même quelquefois intérieurement aucun son plus d'images plus de voyages plus faim ni soif le cœur s'en va on arrive je l'entends par moments ce sont de bons moments

paradis d'avant l'espoir je sors du sommeil et y retourne entre les deux il y a tout tout à faire à supporter à rater à bâcler à mener à bonne fin avant que la boue se rouvre voilà comme on veut me dire cette fois ma vie avant Pim première partie de l'un à l'autre sommeil

puis Pim les boîtes perdues la main qui tâtonne la fesse les cris le mien muet l'espoir qui naît vivement y être l'avoir derrière moi sentir le cœur s'en aller entendre dire tu arrives

être avec Pim l'avoir été l'avoir derrière moi entendre dire il reviendra un autre viendra mieux que Pim il arrive jambe droite bras droit pousse tire dix mètres quinze mètres reste là dans le noir la boue tranquille et sur toi soudain une main comme sur Pim la tienne deux cris le sien muet

tu auras une petite voix elle sera juste audible tu lui parleras à l'oreille une vie tu auras une petite vie tu la lui diras à l'oreille ce sera autre chose tout à fait une autre musique tu verras un peu comme Pim une petite musique de vie mais dans ta bouche à toi elle te sera nouvelle

puis t'en aller tout à fait sans adieux c'en sera fait de l'époque des époques ou seulement de toi plus de voyages plus de couples plus d'abandons jamais plus nulle part entendre ça

comment c'était avant Pim dire ça d'abord ça l'ordre naturel les mêmes choses les mêmes choses les dire comme je les entends les murmurer à la boue d'une seule éternité en faire trois pour plus de clarté je me réveille et j'y vais toute la vie première partie avant Pim comment c'était puis Pim avec lui comment c'était puis après plus que ça après Pim comment c'était comment c'est quand ça cesse de haleter des bribes j'y vais ma journée ma vie première partie des bribes

endormi je me vois endormi sur le flanc ou sur le ventre c'est l'un ou l'autre sur le flanc lequel le droit c'est mieux le sac sous la tête ou serré contre le ventre serré contre le ventre les genoux remontés le dos en cerceau la tête minuscule près des genoux enroulé autour du sac Belacqua basculé sur le côté las d'attendre oublié des cœurs où vit la grâce endormi

je ne sais quel insecte plié sur son bien je reviens les mains vides à moi à ma place quoi d'abord me le demander durer un moment avec ça quoi pour commencer ma longue journée ma vie présente rédaction durer un moment avec ça lové autour de mon trésor aux écoutes mon Dieu avoir à murmurer ça

vingt ans cent ans pas un bruit et j'écoute pas une lueur et j'écarquille les yeux quatre cents fois ma seule saison je me serre plus fort contre le sac une boîte tinte du silence de cette noire trouée tout premier répit

quelque chose là qui ne va pas

la boue jamais froide jamais sèche elle ne sèche pas sur moi l'air chargé de vapeur tiède d'eau ou de quelque autre liquide je hume l'air ne sens rien cent ans pas une odeur je hume l'air

rien ne sèche je serre le sac premier vrai signe de vie il dégoutte une boîte tinte mes cheveux jamais secs aucune électricité impossible de les faire bouffer je les peigne ça arrive voilà un autre objet en arrière c'est une autre de mes ressources plus maintenant troisième partie voilà une autre différence

le moral au départ avant que les événements se précipitent satisfaisant ah l'âme que j'avais dans ce temps-là d'une égalité c'est pourquoi on me donna un compagnon

c'est toujours ma journée première partie avant Pim ma vie présente rédaction le début tout à fait des bribes je reviens à moi à ma place dans le noir la boue je serre le sac il dégoutte une boîte tinte je me prépare je pars fin du voyage

parler de bonheur on hésite ce petit mot parler d'heur premières asperges abcès qui crève mais de bons moments ça oui mais oui avant Pim avec Pim après Pim des temps énormes quoi que je dise de bons moments de moins bons ça aussi il faut s'y attendre je l'entends le murmure aussitôt chères bribes recueillies quelque part c'est mieux quelqu'un qui écoute un autre qui note ou le même jamais un gémissement une larme de loin en loin intérieure une perle aucun son des temps énormes l'ordre naturel

soudain comme tout ce qui arrive ne plus tenir que par le bout des ongles image alpestre ou spéléologique à son espèce celle des rieurs du vendredi instant atroce c'est ici que les mots ont leur utilité la boue est muette

ici donc cette épreuve avant le départ jambe droite bras droit pousse tire dix mètres quinze mètres vers Pim sans le savoir avant ça une boîte tinte je tombe durer un moment avec ça

de quoi rire presque en effet si l'on y pense se sentir dévisser et raccrocher en pipant brefs mouvements du bas du visage aucun son si l'on pouvait y penser à ce qu'on allait perdre puis à cette boue splendide ça cesse de haleter et je l'entends tout bas de quoi rire toute la semaine si l'on pouvait y penser échappement ballon c'est de l'air du peu qui reste du peu à quoi on doit d'être encore debout en riant pleurant et disant ce qu'on pense rien de physique la santé n'est pas menacée un mot de moi et je resuis je pousse bouche ouverte pour ne pas perdre une seconde une vesse qui ait un sens qui s'envole par la bouche aucun son dans la boue

il vient le mot on parle de mots j'en ai encore il faut le croire à cette époque à ma discrétion un seul suffit ahan signifiant maman impossible la bouche ouverte il vient aussitôt ou in extremis ou entre les deux il y a la place ahan signifiant maman ou autre chose un autre bruit tout bas signifiant autre chose n'importe le premier qui vienne me rétablir dans mon rang

le temps qui passe m'est conté et le temps passé des temps énormes ça cesse de haleter et bribes d'un conte énorme telles entendues telles murmurées à cette boue qui m'est contée dans l'ordre le naturel troisième partie c'est là où j'ai ma vie

ma vie dans l'ordre plus ou moins au présent plus ou moins première partie avant Pim comment c'était ces choses si anciennes le voyage dernière étape dernière journée je reviens à moi à ma place serre le sac il dégoutte une boîte tinte perte d'espèce mot muet c'est le début de ma vie présente rédaction je peux partir poursuivre ma vie ce sera encore un homme quoi d'abord d'abord boire je me mets sur le ventre ça dure un bon moment je dure un moment avec ça la bouche s'ouvre enfin la langue sort va dans la boue ça dure un bon moment ce sont de bons moments peut-être les meilleurs comment choisir le visage dans la boue la bouche ouverte la boue dans la bouche la soif qui se perd l'humanité reconquise

quelquefois dans cette position une belle image belle je veux dire par le mouvement la couleur les couleurs bleu et blanc des nuages au vent justement ce jour-là sous la boue une belle image je vais la décrire elle va être décrite puis le départ jambe droite bras droit pousse tire vers Pim il n'existe pas

quelquefois dans cette position je me rendors la langue rentre la bouche se ferme la boue s'ouvre c'est moi qui me rendors cesse de boire et me rendors ou la langue dehors et bois toute la nuit tout le temps du sommeil c'est ça ma nuit présente rédaction je n'en ai pas d'autre le temps du sommeil pas de combien vers le dernier celui des hommes des bêtes aussi je me réveille me le demande je cite toujours dure un moment avec ça c'est une autre de mes ressources

la langue se charge de boue ça arrive aussi un seul remède alors la rentrer et la tourner dans la bouche la boue l'avaler ou la rejeter question si elle est nourrissante et perspectives durer un moment avec ça je m'en remplis la bouche ça arrive aussi c'est une autre de mes ressources durer un moment avec ça question si avalée elle me nourrirait et perspectives qui s'ouvrent ce sont de bons moments

rose dans la boue la langue ressort que font les mains pendant ce temps il faut toujours voir tâcher de voir ce que font les mains ce qu'elles tâchent de faire eh bien la gauche nous l'avons vu serre le sac toujours et la droite

la droite je ferme les yeux pas les bleus les autres derrière et finis par l'entrevoir là-bas à droite au bout de son bras allongé au maximum dans l'axe de la clavicule je le dis comme je l'entends qui s'ouvre et se referme dans la boue s'ouvre et se referme c'est une autre de mes ressources ça m'aide

elle ne peut pas être loin un mètre à peine je la sens loin un jour elle s'en ira sur ses quatre doigts elle a perdu le pouce quelque chose là qui ne va pas elle me quittera je la vois ferme les yeux les autres et la vois elle jette ses quatre doigts en avant comme des grappins les bouts s'enfoncent tirent et ainsi elle s'éloigne par petits rétablissements horizontaux m'en aller comme ça par petits bouts ça m'aide

et les jambes et les yeux les bleus fermés sans doute eh bien non puisque (soudain c'est l'image la dernière soudain là sous la boue je le dis comme je l'entends je me vois

je me donne dans les seize ans et il fait pour surcroît de bonheur un temps délicieux ciel bleu œuf et chevauchée de petits nuages je me tourne le dos et la fille aussi que je tiens qui me tient par la main ce cul que j'ai

nous sommes si j'en crois les couleurs qui émaillent l'herbe émeraude si je peux les en croire nous sommes vieux songe de fleurs et de saisons au mois d'avril ou de mai et certains accessoires si je peux les en croire une barrière blanche une tribune vieux rose nous sommes sur un champ de courses au mois d'avril ou de mai

la tête haute nous regardons j'imagine nous avons j'imagine les yeux ouverts et regardons droit devant nous immobilité de statue de part et d'autre à part les bras qui se balancent ceux aux mains entrelacées quoi encore

dans ma main libre ou gauche un objet indéfinissable et par conséquent dans sa droite à elle l'extrémité d'une courte laisse la reliant à un chien de bonne taille gris cendre assis de guingois tête basse immobilité de ces mains-là question pourquoi une laisse dans cette immensité de verdure et naissance peu à peu de taches grises et blanches agneaux peu à peu au milieu de leurs mères quoi encore au fond du paysage quatre milles cinq milles la masse bleutée d'une montagne de faible élévation nos têtes en dépassent la crête

nous nous lâchons la main et faisons demi-tour moi dextrorsum elle senestro elle transfère la laisse à sa main gauche et moi au même instant à ma droite l'objet maintenant une petite brique blanchâtre les mains vides se mêlent les bras se balancent le chien n'a pas bougé j'ai l'impression que nous me regardons je rentre la langue ferme la bouche et souris

vue de face la fille est moins hideuse ce n'est pas elle qui m'intéresse moi pâles cheveux en brosse grosse face rouge avec boutons ventre débordant braguette béante jambes cagneuses en fuseau fléchissant aux genoux écartées pour plus d'assise pieds ouverts cent trente degrés demi-sourire béat à l'horizon postérieur figure de la vie qui se lève tweed vert bottines jaunes toutes ces couleurs coucou ou similaire à la boutonnière

nouveau demi-tour vers l'intérieur au bout de quatre-vingt degrés fugitif face à face transferts rattachement des mains balancement des bras immobilité du chien ce fessier que j'ai soudain hop gauche droite nous voilà partis nez au vent bras se balançant le chien suit tête basse queue sur les couilles rien à voir avec nous il a eu la même idée au même instant du Malebranche en moins rose les lettres que j'avais s'il pisse il pissera sans s'arrêter je crie aucun son plaque-la là et cours t'ouvrir les veines

bref noir nous revoilà au sommet le chien s'assied de guingois dans la bruyère baisse le museau sur sa bitte noire et rose pas la force de la lécher nous au contraire demi-tour vers l'intérieur fugitif face à face transferts rattachement des mains balancement des bras dégustation en silence de la mer et des îles têtes qui pivotent comme une seule vers les fumées de la cité repérage en silence des monuments têtes qui reviennent comme reliées par un essieu

soudain nous mangeons des sandwiches à bouchées alternées chacun le sien en échangeant des mots doux ma chérie je mords elle avale mon chéri elle mord j'avale nous ne roucoulons pas encore la bouche pleine

mon amour je mords elle avale mon trésor elle mord j'avale bref noir et nous revoilà nous éloignant de nouveau à travers champs la main dans la main les bras se balançant la tête haute vers les sommets de plus en plus petits je ne vois plus le chien je ne nous vois plus la scène est débarrassée quelques bêtes encore les moutons qu'on dirait du granit qui affleure un cheval que je n'avais pas vu debout immobile échine courbée tête basse les bêtes savent

bleu et blanc du ciel un moment encore matin d'avril sous la boue c'est fini c'est fait ça s'éteint j'ai eu l'image la scène reste vide quelques bêtes puis s'éteint plus de bleu je reste là

là-bas à droite dans la boue la main s'ouvre et se referme ça m'aide qu'elle s'en aille je me rends compte que je souris encore ce n'est plus la peine depuis longtemps ce n'est plus la peine

la langue ressort va dans la boue je reste là plus soif la langue rentre la bouche se referme elle doit faire une ligne droite à présent c'est fini c'est fait j'ai eu l'image

ça a dû durer un bon moment avec ça j'ai duré un moment ça a dû être de bons moments bientôt ce sera Pim je ne peux pas le savoir les mots ne peuvent pas venir finie bientôt la solitude perdue bientôt ces mots-là

je viens d'avoir de la compagnie moi parce que ça m'amuse je le dis comme je l'entends avec une petite amie sous le ciel d'avril ou de mai nous avons disparu je reste là là-bas à droite la main qui tire la bouche fermée dur les yeux écarquillés collés à la boue nous reviendrons peut-être ce sera la brune la terre de l'enfance qui peu à peu reluit traînées d'ambre mourant dans une grisaille de cendres le feu a dû passer par là quand je nous revois nous sommes déjà tout près

c'est la brune nous rentrons las je ne vois plus que les parties nues les visages solidaires levés au levant la clarté mouvante des mains emmêlées las et lents nous remontons vers moi et disparaissons

les bras au milieu me traversent et une partie des corps ombres à travers une ombre la scène est vide sous la boue le dernier ciel s'éteint les cendres foncent plus d'autre monde pour moi que le mien très joli seulement pas comme ça ça ne se passe pas comme ça

j'attends que nous revenions peut-être et nous ne revenons pas que d'aventure le soir me murmure ce que le matin m'avait chanté et ce jour-là à ce matin-là pas de soir

trouver autre chose pour durer encore des questions de qui il s'agissait quels êtres quel point de la terre cette famille d'où me vient ce cinéma ce genre plutôt rien manger un morceau ça a dû durer un moment il doit y en avoir de pires l'espoir déçu n'est pas si mal la journée est bien avancée manger un morceau ça durera un moment ce sera de bons moments

ensuite au besoin ma douleur laquelle entre toutes la profonde hors d'atteinte c'est mieux le problème de mes douleurs la solution durer un moment avec ça ensuite le départ pas à cause des saletés autre chose on ne sait pas on ne dit pas fin du voyage

jambe droite bras droit pousse tire dix mètres quinze mètres arrivée nouvelle place réadaptation prière au sommeil qu'en attendant questions au besoin de qui il s'agissait quels êtres quel point de la terre

ce sera de bons moments puis de moins bons ça aussi il faut s'y attendre ce sera la nuit présente rédaction je pourrai dormir et si jamais je me réveille

et si jamais rire muet je me réveille daredare catastrophe Pim fin de la première partie plus que la deuxième puis la troisième plus que la troisième et dernière

ça cesse de haleter je suis sur le flanc lequel le droit c'est mieux j'écarte les bords du sac questions de quoi mon Dieu puis-je avoir envie de quoi faim quel fut mon dernier repas cette famille le temps passe je demeure c'est la scène du sac les deux mains en écartent les bords de quoi peut-on encore avoir envie la gauche y plonge dans le sac c'est la scène du sac et le bras après jusqu'à l'aisselle et après

elle erre parmi les boîtes sans se mêler de les compter en annonce une bonne douzaine se saisit qui sait des dernières crevettes ces détails afin qu'il y ait quelque chose

elle sort la petite boîte ovale la passe à l'autre main retourne chercher l'ouvre-boîte le trouve enfin l'amène au jour l'ouvre-boîte on parle de l'ouvre-boîte au manche en os taillé en fuseau le toucher le dit repos

les mains que font les mains au repos difficile à voir entre pouce et index respectivement gras du bout et face externe de la deuxième phalange quelque chose là qui ne va pas pincent le sac et des doigts qui restent plaquent les objets contre les paumes la boîte l'ouvre-boîte ces détails de préférence à rien

une faute le repos on parle du repos une faute que de fois soudain à ce stade je le dis comme je l'entends dans cette position les mains soudain vides pinçant le sac toujours ça oui toujours pour le reste soudain vides

chercher affolé dans la boue l'ouvre-boîte qui est ma vie mais de quoi ne puis-je en dire autant de quoi depuis toujours mon petit toujours égaré un temps énorme repos donc mes fautes sont ma vie les genoux se relèvent le dos se courbe la tête vient se poser sur le sac entre les mains mon sac à moi mon corps à moi toutes ces parties chaque partie

moi dire moi pour dire quelque chose pour dire ce que j'entends quand ça cesse de haleter dans un four je finirais par voir le nombril le souffle est là il ne ferait pas trembler une aile de mouche de mai je sens la bouche qui s'ouvre

sur le bas-ventre boueux j'ai vu un jour faste pace Héraclite l'Obscur au plus haut de l'azur entre les grandes ailes noires étendues immobiles vu suspendu le corps de neige de je ne sais quel oiseau voilier l'albatros hurleur des mers australes l'histoire que j'avais mon Dieu la naturelle les bons moments que j'avais

mais dernier jour de voyage c'est un bon jour sans mécomptes sans extras tel parti au repos tel revenu les mains comme je les avais laissées je ne perdrai rien ne verrai plus rien

le sac ma vie que jamais je ne lâche ici je le lâche besoin des deux mains comme lorsque je voyage ça s'enchaîne dans la tête de ces embrasements vide et noir à ravir puis soudain comme une poignée de copeaux qui flambe le spectacle alors besoin voyage quand dirai-je assez faible plus tard plus tard un jour faible comme moi une voix à moi

des deux mains donc comme lorsque je voyage ou me prends la tête entre me la prenais là-haut dans la lumière je lâche donc le sac mais minute il est ma vie je me couche donc dessus ça s'enchaîne toujours

me labourent les côtes à travers la jute les arêtes des dernières boîtes arêtes confuses jute pourrie côtes supérieures côté droit un peu plus haut que là où l'on se les tient tenait ma vie ce jour-là ne m'échappera pas cette vie-là pas encore

si je suis né ce n'est pas gaucher la main droite passe la boîte à l'autre et celle-ci à celle-là au même instant l'outil joli mouvement petit tourbillon des doigts et paumes petit miracle grâce auquel petit miracle parmi tant d'autres grâce auxquels je vis encore vivais encore

plus qu'à manger dix douze épisodes ouvrir la boîte ranger l'outil porter peu à peu au nez la boîte ouverte fraîcheur irréprochable lointain parfum de bonheur au laurier rêver ou non vider la boîte ou non la jeter ou non tout ça on ne dit pas je ne vois pas sans grande importance m'essuyer la bouche ça toujours ainsi de suite et enfin prendre le sac dans mes bras l'amener si léger tout contre moi y coucher ma joue c'est la grande scène du sac elle est faite je l'ai derrière moi la journée est bien avancée fermer les yeux enfin et attendre ma douleur qu'avec elle je puisse durer un peu encore et en attendant

prière pour rien au sommeil je n'y ai pas encore droit je ne l'ai pas encore mérité prière pour la prière quand tout fait défaut quand je pense aux âmes au tourment au vrai tourment aux vraies âmes qui n'y ont jamais droit au sommeil on parle du sommeil j'ai prié une fois pour elles d'après une vieille vue elle a jauni

encore moi toujours et partout dans la lumière âge indéterminé vu de dos à genoux les fesses en l'air au sommet d'un tas d'ordures vêtu d'un sac au fond crevé pour le passage de la tête entre les dents la hampe horizontale d'un vaste vexille où je lis

en ta clémence de temps à autre qu'ils dorment les grands damnés ici des mots illisibles dans les plis puis rêver peut-être du bon temps que leur valurent leurs errements pendant ce temps les démons se reposeront dix secondes quinze secondes

sommeil seul bien brefs mouvements du bas du visage aucun son seul bien viens éteindre ces deux vieux charbons qui n'ont plus rien à voir et ce vieux four détruit par le feu et dans toute cette guenille

toute cette guenille d'un bout à l'autre des cheveux aux ongles des pieds et des mains le peu de sensation qu'elle garde encore de ce qu'elle est dans chacune de ses parties et rêve

rêve viens d'un ciel d'une terre d'un sous-sol où je sois inconcevable aïe aucun son dans le cul un pal ardent ce jour-là nous ne priâmes pas plus avant

que de fois à genoux que de fois de dos à genoux sous tous les angles de dos dans toutes les stations à genoux et de dos de concert si ce n'était pas moi c'était toujours le même piètre consolation

une fesse deux fois trop grande l'autre deux fois trop petite à moins qu'un effet d'optique ici quand on chie c'est la boue qui torche voilà des siècles que je n'y touche plus soit le rapport quatre un j'ai toujours aimé l'arithmétique elle me l'a bien rendu

chez Pim quoique petites elles étaient pareilles il lui en aurait fallu une troisième j'y enfonçais l'ouvre-boîte indifféremment quelque chose là qui ne va pas mais d'abord en finir avec ma vie de voyageur première partie avant Pim comment c'était plus que la deuxième puis la troisième plus que la troisième et dernière du temps où je rasais encore les murs au milieu de mes semblables et frères je l'entends et le murmure qu'alors là-haut dans la lumière à chaque douleur physique la morale me laissant de glace je hurlais au secours avec une fois sur cent un certain bonheur

comme lorsque pris exceptionnellement de boisson à l'heure des boueurs m'obstinant à vouloir sortir de l'ascenseur je me prends le pied entre palier et cage et que deux heures plus tard montre en main on se précipite l'ayant appelé en vain

vieux songe je ne marche pas ou je marche ça dépend on ne dit pas de quoi des jours ça dépend des jours adieu rats naufrage est fait un peu moins c'est tout ce qu'on implore

un peu moins de n'importe quoi n'importe comment n'importe quand un peu moins du temps être et ne pas être passé présent futur et conditionnel allons allons suite et fin première partie avant Pim

feu au rectum comment surmonté réflexions sur la passion de la douleur départ irrésistible préparatifs y afférents trajet sans encombre brusque arrivée à bon port derniers feux extinction et hop est-ce un rêve

un rêve peu de chances mort du sac fesses de Pim fin de la première partie plus que la deuxième puis la troisième plus que la troisième et dernière Thalie par pitié une feuille de ton lierre vite la tête dans le sac où révérence parler j'ai toute la souffrance de tous les temps je m'en soucie comme d'une guigne et c'est le fou rire dans chaque cellule les boîtes en font un bruit de castagnettes la boue glouglousse sous mon corps secoué je pète et pisse en même temps

jour faste dernier du voyage tout se passe le mieux du monde la plaisanterie mollit trop vieille les soubresauts s'apaisent je reviens à l'air libre aux choses sérieuses je n'aurais que le petit doigt à lever pour voler dans le sein d'Abraham je lui dirais de se le mettre quelque part

quelques réflexions néanmoins en attendant mieux sur la fragilité de l'euphorie chez les divers ordres du règne animal en commençant par les éponges lorsque oust je ne peux pas rester une seconde de plus cet épisode saute donc

les déjections non elles sont moi mais je les aime les vieilles boîtes mal vidées mollement lâchées non plus autre chose la boue engloutit tout moi seul elle me porte mes vingt kilos trente kilos elle cède un peu sous ça puis ne cède plus je ne fuis pas je m'exile

rester toujours à la même place jamais eu d'autre ambition avec mon petit poids inerte dans cette fange tiède creuser ma bauge et ne plus en bouger ce vieux rêve qui revient je le vis à l'heure qu'il est et sera longtemps encore commence à savoir ce qu'il vaut ce qu'il valait

une grande goulée d'air noir et en finir enfin avec ma vie de voyageur avant Pim première partie comment c'était avant l'autre l'immobile avec Pim après Pim comment c'était comment c'est des temps énormes où je ne vois plus rien entends sa voix à lui puis cette autre venue lointaine des trente-deux aires du zénith et des profondeurs puis en moi quand ça cesse de haleter des bribes je les murmure

avec cette agitation cause que pas une seconde de plus là où je suis si bien impuissant à lever le petit doigt dussé-je en obtenir que sous moi la boue s'ouvre et ensuite se referme

question vieille question si oui ou non ce bouleversement tous les si tous les jours ce mot qu'il faut entendre murmurer ce bouleversement si tous les jours il me soulève et jette ainsi hors de ma souille

et la journée si proche enfin de sa fin si elle n'est pas faite de mille journées bonne vieille question terrible pour la tête toujours pouvant se poser à propos de tout et de rien ce qui est une grande beauté

avoir le chronomètre de Pim quelque chose là qui ne va pas et rien à chronométrer je ne mange donc plus non je ne bois plus et ne mange plus ne bouge plus et ne dors plus ne vois plus rien ne fais plus rien ça reviendra peut-être tout ça une partie j'entends dire que oui puis que non

la voix chronométrer la voix elle n'est pas à moi le silence chronométrer le silence ça pourrait m'aider je verrai faire quelque chose quelque chose bon Dieu

maudire Dieu aucun son noter l'heure mentalement et attendre midi minuit maudire Dieu ou le bénir et attendre montre en main mais les jours ce mot encore comment faire sans mémoire arracher un lambeau au sac faire des nœuds ou la corde pas la force

mais d'abord en finir avec ma vie de voyageur première partie avant Pim remuement sans nom dans la boue c'est moi je le dis comme je l'entends qui fouille dans le sac en sors la corde en ficèle les bords me le pends au cou me retourne sur le ventre fais mes adieux aucun son et m'élance

dix mètres quinze mètres demi-flanc gauche pied droit main droite pousse tire plat ventre éjaculations muettes demi-flanc droit pied gauche main gauche pousse tire plat ventre éjaculations muettes pas un iota à changer à cette description

ici calculs confus comme quoi je n'ai pu dévier de plus de quelques secondes de la direction qu'un jour une nuit à l'inconcevable départ m'imprima le hasard la nécessité un peu de chaque c'est l'un ce fut l'un des trois d'ouest ça se sent d'ouest en est

et ainsi dans la boue le noir à plat ventre en ligne droite un peu plus un peu moins deux cents trois cents kilomètres soit dans huit mille ans si je ne m'étais pas arrêté le tour de la terre c'est à dire l'équivalent

on ne dit pas où j'ai bien pu recevoir mon éducation acquérir mes notions d'arithmétique d'astronomie voire même de physique elles m'ont marqué c'est le principal

tout à ces horizons je ne sens pas ma fatigue elle s'exprime néanmoins passage plus laborieux d'un flanc à l'autre prolongation du plat ventre intermédiaire multiplication des malédictions muettes

brusque quasi-certitude qu'un centimètre de plus et je tombe dans un ravin ou m'écrase contre une muraille quoique rien je suis payé pour le savoir à espérer de ce côté-là ça m'arrache à ma rêverie je suis rendu

les gens là-haut qui se lamentaient de ne pas vivre étrange à un tel moment une telle bulle dans la tête tous morts à présent d'autres à présent pour qui ce n'est pas une vie et la suite très étrange à savoir je les comprends tout compris toujours sauf par exemple l'histoire la géographie tout compris et rien su pardonner jamais rien désapprouvé vraiment même pas la cruauté envers les animaux rien aimé

une telle bulle alors elle crève la journée ne peut plus me faire grand'chose

il ne faut pas trop faible d'accord si l'on veut faire plus faible non il faut le plus faible possible puis plus faible encore je le dis comme je l'entends chaque mot toujours

ma journée ma journée ma vie comme ça toujours les vieux mots qui reviennent plus grand'chose seulement que je me réacclimate puis dure jusqu'au sommeil ne pas s'endormir fou ou alors ce n'est pas la peine

fou ou pis transformé à la Haeckel né à Potsdam où vécut également Klopstock entre autres et œuvra quoique enterré à Altona l'ombre qu'il jette

le soir face au grand soleil ou adossé je ne sais plus on ne dit pas la grande ombre qu'il jette vers l'est natal les humanités que j'avais mon Dieu avec ça un peu de géographie

plus grand'chose mais dans la queue le venin j'ai perdu mon latin il faut être vigilant donc un bon moment sonné sur le ventre puis soudain me mets je ne peux pas le croire à écouter à écouter comme si parti la veille au soir de la Nouvelle-Zemble la géographie que j'avais je venais de revenir à moi dans une sous-préfecture sub-tropicale voilà comme j'étais comme j'étais devenu ou avais toujours été c'est l'un ou l'autre

question si toujours bonne vieille question si toujours comme ça depuis que le monde monde pour moi des murmures de ma mère chié dans l'incroyable tohu-bohu

comme ça à ne pouvoir faire un pas surtout la nuit sans m'immobiliser sur un pied yeux clos souffle coupé à l'affût des poursuiveurs et secours

je ferme les yeux toujours les mêmes et me vois tête dressée mal au cou mains crispées dans la boue quelque chose là qui ne va pas toute haleine retenue ça dure je dure comme ça un bon moment jusqu'au petit tremblement du bas du visage signe que je me dis suis arrivé à me dire quelque chose

que peut-on bien se dire dans ces moments-là une petite perle de soulas désolé tant mieux tant pis ce genre en moins froid à la bonne heure hélas ce genre en moins chaud joie et peine ces deux-là le total de ces deux-là divisé par deux et tiède comme dans le vestibule

c'est vite dit une fois trouvé c'est vite dit les lèvres se figent et toute la chair autour les mains s'ouvrent la tête retombe je m'enfonce un peu plus puis plus c'est le même royaume que toujours que tantôt et toujours je n'en suis jamais sorti il est sans confins

Dieu sait si je suis souvent heureux mais jamais plus jamais autant qu'à cet instant-là bonheur malheur je sais je sais mais on peut en causer

là-haut si j'étais là-haut les étoiles déjà et aux beffrois l'heure brève il ne reste plus maintenant que peu à endurer je resterais bien comme ça toujours mais ça ne va pas

défaire la corde côté sac côté cou je le fais il le faut on est réglé ainsi mes doigts le font je les sens

dans la boue le noir la face dans la boue les mains n'importe comment quelque chose là qui ne va pas la corde à la main tout le corps n'importe comment c'est bientôt comme si là à cette seule place j'avais vécu oui vécu toujours

Dieu quelque part quelquefois à ce moment-là mais je suis tombé sur un bon jour je mangerais bien un morceau mais je ne mangerai pas la bouche s'ouvre la langue ne sort pas la bouche bientôt se referme

c'est à gauche que le sac m'accompagne je me mets sur le flanc droit et le prends si léger dans mes bras les genoux se relèvent le dos se courbe la tête vient se poser sur le sac nous avons déjà dû avoir ces mouvements quelque part s'ils pouvaient être les derniers

maintenant oui ou non un pli du sac entre les lèvres ça arrive pas dans la bouche entre les lèvres dans le vestibule

malgré la vie qu'on m'a donnée je suis resté lippu deux grosses lippes faites pour les baisers j'imagine rouge écarlate j'imagine elles s'avancent un peu encore s'écartent et se referment sur une ride du sac ça tient du cheval

oui ou non on ne dit pas je ne vois pas autres possibilités refaire ma prière au sommeil attendre qu'il descende qu'il s'ouvre sous moi dans les eaux calmes enfin et en danger plus que jamais puisque à bout de parades ça s'enchaîne toujours

trouver des mots encore alors qu'ils sont tous dépensés brefs mouvements encore du bas du visage il lui faudrait de bons yeux au témoin s'il y avait un témoin de bons yeux une bonne lampe il les aurait les bons yeux la bonne lampe

au scribe assis à l'écart il annoncerait minuit non deux heures trois heures heure du Ballast Office brefs mouvements du bas du visage aucun son c'est mes mots qui font ça ça qui fait mes mots je m'endormirai encore dans l'humanité tout juste la poussière alors les pierres à chaux et à granit confondues empilées pour faire un mur plus loin l'épine en fleur haie vive verte et blanche troènes épines confondues

la couche de poussière qu'il y avait les petits pieds grands pour leur âge nus dans la poussière

le cartable sous les fesses le dos au mur lever les yeux u bleu se réveiller en sueur la blancheur qu'il y avait les petits nuages qu'on voyait le bleu à travers les pierres chaudes à travers le maillot rayé horizontalement bleu et blanc

lever les yeux chercher des visages dans le ciel des animaux s'endormir et là un beau jeune homme rencontrer un beau jeune homme à barbiche dorée vêtu d'une aube se réveiller en sueur et avoir rencontré Jésus en rêve

ce genre une image pas pour les yeux faite avec des mots pas pour les oreilles la journée est terminée je suis sauf jusqu'à demain la boue s'ouvre je m'en vais jusqu'à demain la tête sur le sac les bras autour le reste n'importe comment

noir bref noir long comment savoir et me revoilà en route ici il manque quelque chose plus que deux ou trois mètres et c'est le précipice que deux trois dernières bribes et c'est fini finie la première partie plus que la deuxième puis la troisième plus que la troisième et dernière ici il manque quelque chose des choses qu'on sait déjà ou qu'on ne saura jamais c'est l'un ou l'autre

j'arrive et tombe comme la limace tombe prends le sac dans mes bras il ne pèse plus rien plus rien où poser ma tête je presse une chiffe je ne dirai pas contre mon cœur

pas d'émotion tout est perdu le fond a crevé l'humidité le traînage l'abrasion les étreintes les générations un vieux sac à charbon cinquante kilos ça s'enchaîne tout parti les boîtes l'ouvre-boîte un ouvre-boîte sans boîtes ça m'est épargné des boîtes sans ouvre-boîte je n'aurai pas eu ça cette fois dans ma vie

tant d'autres choses encore tant imaginées jamais nommées jamais pu d'utilité de nécessité belles au toucher tout ce qu'on m'avait donné présente rédaction comme c'est loin tout sauf la corde un sac crevé une corde vieux sac je le dis comme je l'entends le murmure à la boue vieux sac vieille corde vous je vous garde

petite suite pour durer encore détortiller la corde en tirer deux ficeler le fond du sac le remplir de boue en ficeler le haut ça fera un bon oreiller ça fera doux dans mes bras brefs mouvements du bas du visage s'ils pouvaient être les derniers quand le dernier repas le dernier voyage qu'ai-je fait où suis-je passé ce genre hurlements muets abandon lueur d'espoir départ désordonné la corde autour du cou le sac dans la bouche un chien

abandon ici effet de l'espoir ça s'enchaîne de l'éternelle ligne droite effet du bon désir de ne pas mourir avant terme dans le noir la boue sans parler d'autres causes

seule chose à faire rebrousser chemin tourner en rond à la rigueur et j'avance en zigzag ça c'est vrai conformément à ma complexion présente rédaction cherchant ce que j'ai perdu là où je n'ai jamais été

chers chiffres quand tout fait défaut quelques chiffres pour finir première partie avant Pim la belle époque les bons moments les pertes d'espèce j'étais jeune je m'y accrochais à l'espèce on parle de l'espèce l'humaine en me disant brefs mouvements aucun son deux et deux deux fois deux et la suite

donc brusque écart à gauche c'est mieux quarante-cinq degrés et deux mètres ligne droite telle la force de l'habitude puis à droite angle droit et tout droit quatre mètres chers chiffres puis à gauche angle droit et en avant au cordeau quatre mètres puis à droite angle droit assez ainsi de suite jusqu'à Pim ainsi de part et d'autre de la droite abandonnée effet de l'espoir série de dents de scie ou chevrons évasés deux mètres de côté trois de base un peu moins celle-ci dans l'ancien axe de marche qu'ainsi je retrouve un instant entre deux apogées un mètre et demi un peu moins chers chiffres belle époque ainsi elle s'achève première partie avant Pim ma vie de voyageur un temps énorme j'étais jeune tout ça ainsi belle époque chevrons apogées chaque mot toujours tel que je l'entends en moi qui fut dehors quaqua de toutes parts et murmure à la boue quand ça cesse de haleter tout bas des bribes

demi-flanc gauche pied droit main droite pousse tire plat ventre maudire Dieu le bénir l'implorer aucun son des pieds et mains farfouiller dans la boue qu'est-ce que j'espère une boîte perdue là où je n'ai jamais été une boîte mal vidée jetée devant moi c'est tout ce que j'espère

où je n'ai jamais été mais d'autres peut-être bien avant peu avant les deux une procession quel réconfort dans l'embarras les autres quel réconfort

ceux qui se traînent devant ceux qui se traînent derrière à qui est arrivé va arriver ce qui vous arrive cortège sans fin de sacs crevés au profit de tous ou une boîte céleste sardines miraculeuses envoyées par Dieu à la nouvelle de mon infortune de quoi le vomir huit jours de plus

demi-flanc droit pied gauche main gauche pousse tire plat ventre malédictions muettes farfouiller dans la boue tous les demi-mètres huit fois par chevron soit trois mètres de parcours utile un peu moins crochue pour la prise la main plonge au lieu de la fange familière une fesse deux cris dont un muet fin de la première partie voilà comment c'était avant Pim

2

ici donc enfin deuxième partie où j'ai encore à dire comment c'était comme je l'entends en moi qui fut dehors quaqua de toutes parts des bribes comment c'était avec Pim un temps énorme tout bas dans la boue à la boue quand ça cesse de haleter comment c'était ma vie on parle de ma vie dans le noir la boue avec Pim deuxième partie plus que la troisième et dernière c'est là où j'ai ma vie où je l'ai eue où je l'aurai des temps énormes troisième partie et dernière dans le noir la boue tout bas des bribes

période heureuse à sa façon deuxième partie on parle de la deuxième partie avec Pim comment c'était de bons moments bons pour moi on parle de moi pour lui aussi on parle de lui aussi heureux aussi à sa façon je le saurai plus tard je saurai de quelle façon son bonheur je l'aurai je n'ai pas encore tout eu donc faible cri aigu avant-goût de ce murmure de demi-castrat que je vais avoir à supporter pendant plus de chiffres voilà encore une petite différence d'avec ce qui précède plus le moindre chiffre désormais toutes les mesures vagues oui vagues impressions de longueur longueur d'espace longueur de temps vagues impressions de brièveté entre les deux et par conséquent plus de calculs sinon d'ordre algébrique à la rigueur oui j'entends dire que oui puis que non

prestement comme d'un bloc de glace ou chauffé à blanc ma main se retire reste suspendue en l'air un bon moment c'est vague puis lentement redescend et se repose ferme voire légèrement propriétaire déjà à plat sur les chairs miraculeuses perpendiculaire à la fente le moignon du pouce et les éminences thénar et hypo sur la fesse gauche les quatre doigts sur l'autre la main droite donc nous ne sommes pas encore tête-bêche

à plat je veux bien mais un peu bombée néanmoins par pudeur spontanée c'est possible elle ne pouvait être feinte et jetée ainsi sur la fente un peu en dos d'âne d'où contact avec la fesse droite moins des coussinets que des ongles deuxième cri d'effroi certes mais où j'ai cru déceler comme perdu dans l'orchestre un petit flageolet de plaisir déjà de la fatuité de ma part c'est possible voila un passé cette partie va peut-être vouloir marcher au passé deuxième partie avec Pim comment c'était encore une petite différence peut-être d'avec ce qui précède mais vite un mot sur mes ongles ils vont avoir leur rôle à jouer

à craindre tiens que dans cette partie je ne sois on ne dit pas éteint ce n'est pas encore dans ma composition on dit en veilleuse avant de reparaître Pim disparu plus vivant encore si possible qu'avant notre rencontre plus comment dire plus vivant il n'y a pas mieux celui qu'on ne voit que lui n'entend que lui c'est trop dire comme toujours oui à moi maintenant c'est à craindre les utilités

à moi qui sans moi il ne serait jamais Pim on parle de Pim à tout jamais qu'une carcasse inerte et muette à jamais aplatie dans la boue sans moi mais comment que je vais l'animer vous allez voir et si je sais m'effacer derrière ma créature quand ça m'arrive maintenant mes ongles

vite une supposition si cette boue soi-disant n'était que notre merde à tous parfaitement tous si on n'est pas des billions en ce moment et pourquoi pas puisqu'on voilà deux on le fut des billions à ramper et à chier dans leur merde en serrant comme un trésor dans leurs bras de quoi ramper et chier encore maintenant mes ongles mes ongles eh bien pour ne parler que des mains sans parler de ce sage oriental je les avais dans un triste état ce sage extrême oriental qui ayant serré les poings depuis l'âge le plus tendre c'est vague jusqu'à l'heure de sa mort on ne dit pas à quel âge ayant fait ça

donc l'heure de sa mort on ne dit pas à quel âge put enfin les voir un peu avant ses ongles sa mort qui percées les paumes de part en part put enfin les voir qui sortaient enfin de l'autre côté et peu après ayant ainsi vécu fait ceci fait cela serré les poings toute sa vie ainsi vécu mourut enfin en se disant dernier souffle qu'ils allaient pousser encore

les rideaux s'écartaient première partie je voyais les amis venus le voir où accroupi à l'ombre profonde d'une tombe ou d'un bo les poings serrés sur les genoux il vivait ainsi

ils se cassaient manque de chaux ou similaire mais sans ensemble de sorte que les uns mes ongles on parle de mes ongles les uns longs toujours les autres convenables je le voyais rêvant la boue s'écartait ça s'allumait je le voyais rêvant un ami aidant ou sans ce bonheur tout seul rêvant de les ramener vers le dos pour qu'ils retraversent en sens inverse la mort l'en empêcha

sur la fesse droite de Pim donc premier contact il dut les entendre crisser le beau passé que voilà j'aurais pu les enfoncer si j'avais voulu j'en avais envie tirer creuser des sillons profonds boire les hurlements le bleu l'ombre violente la tête enturbannée courbée sur les poings le cercle d'amis en dhoti blanc sans aller jusque-là

les cris me disent à quelle extrémité la tête mais je peux me tromper ce qui fait ça s'enchaîne que sans décoller la main se déplace à droite ça fourche bientôt c'est bien ce que je pensais puis tout de même à gauche pour qu'aucun doute elle repasse par le cul oh sans s'attarder tombe dans un creux remonte le moignon du pouce sur l'échine jusqu'aux côtes flottantes je suis fixé l'anatomie que j'avais inutile d'insister il crie toujours je suis fixé je le répète ça ne marche pas au passé non plus je n'aurai jamais de passé jamais eu

c'est bon c'est un semblable plus ou moins mais homme femme fille garçon les cris n'ont ni certains cris ni sexe ni âge j'essaie de le retourner sur le dos mais non le flanc droit non plus gauche encore moins mes forces s'en vont bon bon je ne connaîtrai jamais Pim qu'à plat ventre

tout ça je le dis comme je l'entends chaque mot toujours et qu'ayant farfouillé dans la boue entre les jambes je finis par dégager ce qui me paraît être un testicule ou deux l'anatomie que j'avais comme je l'entends et murmure dans la boue que je me hisse si j'ose un peu en avant pour palper le crâne il est chauve non annuler le visage c'est mieux masse de poils tout blancs au toucher je suis fixé c'est un petit vieux nous sommes deux petits vieux quelque chose là qui ne va pas

dans le noir la boue ma tête contre la sienne mon flanc collé au sien mon bras droit autour de ses épaules il ne crie plus nous restons ainsi un bon moment ce sont de bons moments

combien de temps ainsi sans mouvement ni bruit aucun ne fût-ce que de respiration énorme un temps énorme sous mon bras quelquefois le soulève lentement quitte enfin et lentement redépose un souffle plus profond un autre dirait un soupir

ainsi notre vie en commun nous la commençons ainsi je ne dis pas ça ne se dit pas comme d'autres la finissent enlacés presque je n'en ai pas vu paraît-il pas de ceux-là mais même les bêtes s'observent j'en ai vu paraît-il en train de s'observer comprenne qui voudra je n'y tiens pas

enlacés presque c'est trop dire comme toujours il ne peut me repousser c'est comme mon sac quand je l'avais encore cette chair providentielle je ne la lâcherai jamais appelez ça de la constance si vous voulez

quand je l'avais encore mais je l'ai encore il
est dans ma bouche non il n'y est plus je ne
l'ai plus j'ai raison j'avais raison

un temps énorme donc pour nos débuts à
l'époque des chiffres un retentissant nos
débuts dans la vie en commun et question
de savoir ce qui y met fin enfin à cette longue
paix et nous fait faire plus ample connaissance quel contretemps

un petit air soudain il chante un petit air
soudain comme tout ce qui n'était pas puis
est je l'écoute un bon moment ce sont de bons
moments ça ne peut être que lui mais je peux
me tromper

mon bras se plie donc le droit c'est mieux ce
qui ramène de très obtus en très aigu l'angle
entre l'humérus et l'autre l'anatomie la géo-
métrie et ma main droite cherche ses lèvres
tâchons de voir ce joli mouvement de plus
près du moins sa conclusion

passant sous la boue la main remonte au
jugé l'index rencontre la bouche c'est vague
c'est bien visé le pouce la joue quelque part
quelque chose là qui ne va pas fossette pom-
mette tout ça remue lèvres buccinateurs et
poils c'est bien ce que je pensais c'est lui il
chante toujours je suis fixé

je ne distingue pas les paroles la boue les
étouffe ou c'est une langue étrangère il chante
peut-être un lied dans le texte original c'est
peut-être un étranger

un oriental mon rêve il a renoncé je renoncerai aussi je n'aurai plus de désirs

il sait donc parler c'est le principal il a l'usage sans avoir vraiment réfléchi à la question je devais supposer qu'il ne l'avait pas ne l'ayant pas personnellement et d'une façon sans doute un peu plus générale qu'une seule façon d'être là où j'étais la mienne qu'on pût y chanter je ne l'aurais pas cru possible

instant solennel en tout cas s'il en fut quelles perspectives qui clôt la première tranche de notre vie en commun et en entrebâille la seconde et ma foi dernière plus fertile en vicissitudes et péripéties le plus beau de ma vie peut-être il est difficile de choisir

une voix humaine là à quelques centimètres mon rêve voire peut-être une pensée humaine si je dois apprendre l'italien évidemment ce sera moins drôle

mais quelques réflexions d'abord très éparses un temps énorme une trentaine peut-être en tout en voici deux ou trois on verra

orienté comme il est il devait suivre le même chemin que moi avant de tomber et d'une

un jour nous reprendrons la route ensemble et je nous voyais les rideaux s'écartaient un instant quelque chose là qui ne va pas et je nous entrevoyais tout ça avant le petit air oh bien avant qui nous aidions mutuellement à avancer tombions de concert et attendions dans nos bras le moment de repartir

faire celui qui existe du moins existait alors je sais je sais tant pis on peut en causer ça fait du bien de temps en temps ce sont de bons moments quelle importance ça ne fait de mal à personne il n'y a personne

voilà donc enfin derrière nous la première tranche déjà de notre vie en commun plus que la seconde et dernière fin de la deuxième partie plus que la troisième et dernière

problème du dressage solution et mise en œuvre progressives simultanées et parallèlement plan moral amorce essor des rapports proprement dits mais quelques précisions d'abord deux ou trois

se déplaçant à droite mon pied droit ne rencontre que la fange familière ce qui fait qu'en même temps que la jambe se plie au maximum il se soulève mon pied on parle en ce moment de mon pied et se promène de haut en bas on voit le mouvement le long des jambes de Pim droites et raides c'est bien ce que je pensais et d'une

ma tête même mouvement elle rencontre la sienne c'est bien ce que je pensais mais je peux me tromper elle recule donc et se lance à droite le heurt attendu se produit je suis fixé c'est moi le plus grand je reprends ma pose me serre plus fort contre lui il s'arrête à ma cheville deux trois centimètres de moins que moi je le mets sur le compte de l'ancienneté

maintenant ses bras en croix de Saint-André branches supérieures angle plutôt fermé ma main gauche en suit le gauche pénètre à sa suite dans le sac le sien il tient son sac à l'intérieur près des bords moi j'aurais eu peur ma main s'attarde sur la sienne comme des cordes ses veines se retire et retourne à sa place à gauche dans la boue plus rien sur ce sac pour le moment

dans le silence qui a l'air de Pim succède plus profond finalement un temps énorme un lointain tic-tac je l'écoute un bon moment ce sont de bons moments

ma main droite part le long de son bras droit arrive péniblement à la limite de l'extension et au-delà et frôle du bout des doigts une montre au toucher bracelet c'est bien ce que je me disais elle va avoir son rôle à jouer j'entends dire que oui puis que non

mieux une grosse montre ordinaire munie d'une lourde chaîne il la tient serrée dans sa main mon index se fraye un passage parmi les doigts repliés et dit une grosse montre ordinaire munie d'une lourde chaîne j'amène le bras vers moi derrière le dos il se bloque nette amélioration du tic-tac je le bois un bon moment

encore quelques mouvements remettre le bras à sa place puis l'amener vers moi dans l'autre sens par en haut senestro jusqu'à ce qu'il se bloque on voit le mouvement attraper le poignet de ma main gauche et tirer tout en pesant avec l'autre sur le coude par là par derrière tout ça au-dessus de mes forces

sans avoir eu à lever la tête de la boue pas question je finis par avoir la montre contre l'oreille la main le poing c'est mieux je bois les secondes longuement moments délicieux et perspectives

lâché enfin le bras a un petit recul sec puis s'immobilise c'est encore moi qui dois lui faire reprendre sa place là-bas à droite dans la boue Pim est comme ça il sera comme ça les attitudes qu'on lui donne il les garde mais c'est peu de chose dans l'ensemble un roc

d'elle à moi à présent troisième partie de là-bas à droite dans la boue à moi abandonné le lointain tic-tac je n'en tire aucun profit plus aucun aucun agrément ne compte plus les secondes qui passent sans retour ne mesure la durée de rien la fréquence ne me prends plus le pouls quatre-vingt-dix quatre-vingt-quinze elle me tient compagnie c'est tout son tic-tac par instants mais la casser jeter au loin non laisser s'arrêter non empêchement quelque part elle s'arrête j'agite le bras elle repart plus rien sur cette montre

pas plus que moi à l'en croire ou alors mon idée il n'avait pas de nom c'est donc moi qui le lui ai donné Pim pour plus de commodité plus d'aisance ça repart au passé

il a dû lui sourire je comprends finir par lui sourire à la fin il se le donnait tout seul bien avant Pim par-ci Pim par-là moi Pim je dis toujours quand on s'appelle Pim on ne doit jamais tout ce qu'on ne devait jamais disait toujours quand on s'appelait Pim et avec ça mieux à partir de là plus vif plus causeur

le pli pris je lui intime que moi aussi Pim je m'appelle Pim là il a plus de mal un moment de confusion d'humeur je comprends c'est un beau nom puis ça se calme

moi aussi ça m'a fait un bien j'ai l'impression un bien surtout au début difficile à préciser moins anonyme en quelque sorte moins obscur

moi aussi je le sens qui me lâche peu à peu il n'y aura bientôt plus personne jamais eu personne du beau nom de Pim j'entends dire que oui puis que non celui que j'attends oh sans y croire je le dis comme je l'entends qu'il m'en donne un autre ce sera mon premier Bom qu'il m'appelle Bom pour plus de commodité ça me sourirait m à la fin et une syllabe le reste égal

BOM gravé à l'ongle à travers le cul la voyelle dans le trou je dirais dans une scène de ma vie il m'obligerait à avoir eu une vie les Bom monsieur vous connaissez mal les Bom monsieur on peut chier sur un Bom monsieur on ne peut pas l'humilier un Bom monsieur les Bom monsieur

mais d'abord en finir avec cette deuxième partie avec Pim la vie en commun comment c'était pour n'avoir plus à en finir qu'avec la troisième et dernière où j'entends dire entre autres bizarreries qu'arrive dix mètres quinze mètres celui qui pour moi pour qui moi ce que moi pour Pim Pim pour moi

entre autres extravagances dont l'usage de la parole il va me revenir ça c'est vrai il m'est revenu le voilà j'écoute je parle brefs mouvements du bas du visage avec son dans la boue la face dans la boue tout bas toutes sortes un nommé Pim une vie que j'aurais eue avant lui avec lui après lui une vie que j'aurais

dressage premiers temps ou héroïques avant l'écriture les finesses difficile à dire rien que les grandes lignes hop stop cette famille au-dessus de mes forces je nageais il nageait mais peu à peu peu à peu entre séances quelquefois un sprat une salicoque ça m'arrivait ça continue au passé ah vivement que du passé tout au passé Bom venu moi disparu et Bom sur la vie en commun on était bien c'était de bons moments sottises n'importe un sprat une salicoque

pas crevé le sac de Pim pas crevé il n'y a pas de justice ou alors comme ça des choses incompréhensibles quelques-unes

plus vieux que le mien et pas crevé une meilleure jute peut-être et avec ça à moitié plein encore ou alors quelque chose qui m'échappe

des sacs qui se vident et crèvent d'autres non est-ce possible une histoire de grâce jusque dans ce cul-de-basse-fosse pourquoi nous vouloir tous égaux les uns qui disparaissent les autres jamais

tout ce que j'entends en laisser davantage tout laisser ne plus rien entendre rester là dans mes bras avec mon sac l'ancien moi on parle de moi l'ancien sans fin qui enterre toute la créature jusqu'au dernier con ce serait de bons moments là dans le noir la boue rien entendre rien dire rien pouvoir rien

puis soudain comme tout ce qui commence recommence comment savoir partir repartir dix mètres quinze mètres pied droit main droite pousse tire quelques images des coins de bleu trois quatre mots muets ne pas dévisser quelques sardines la boue qui s'ouvre crever le sac sottises et sale ronron bref le vieux chemin

de mortel suivant en mortel suivant ne menant nulle part sans autre but jusqu'à plus ample que le mortel suivant me coller contre le nommer le dresser le couvrir jusqu'au sang de majuscules romaines me gaver de ses fables nous unir pour la vie dans l'amour stoïque jusqu'au dernier hareng gai et un peu plus

jusqu'au beau jour où psst il se dissipe en me laissant ses effets et s'instaure la prophétie la vie nouvelle plus de voyages plus d'azur un murmure dans la boue ça c'est vrai tout doit être vrai et on arrive on arrive dix mètres quinze mètres ce que moi pour Pim Pim pour moi

tout ce que j'entends ne plus rien entendre être là comme avant Pim après Pim comme avant Pim dans mes bras avec mon sac puis soudain le vieux chemin vers mon prochain mortel dix mètres quinze mètres pousse tire saison après saison ma seule saison vers mon premier mortel sottises par bonheur de courte durée

première leçon thème qu'il chante je lui enfonce mes ongles dans l'aisselle main droite aisselle droite il crie je les retire grand coup de poing sur le crâne son visage s'enfonce dans la boue il se tait fin de la première leçon repos

deuxième leçon même thème ongles dans l'aisselle cris coup sur le crâne silence fin de la deuxième leçon repos tout ça au-dessus de mes forces

mais cet homme n'est pas bête il doit se dire je me mets à sa place que veut-il de moi plutôt on que veut-on de moi en me martyrisant ainsi et la réponse peu à peu éparse des temps énormes

pas que je crie cela tombe sous les sens puisqu'on m'en punit aussitôt

du sadisme pur et simple non plus puisqu'on m'empêche de crier

ce dont je ne suis peut-être pas capable certainement pas cet être n'est pas bête cela se sent

de quoi me sait-on capable de chanter on veut donc que je chante

ce qu'à sa place j'aurais fini par me dire il me semble mais je peux me tromper et Dieu sait si je suis peu intelligent sinon je serais mort

ça ou autre chose le jour arrive ce mot encore nous y arrivons au bout de combien pas de chiffres un temps énorme où griffé à l'aisselle depuis longtemps à vif car changer d'endroit on est tenté désespoir de cause en essayer un autre plus sensible l'œil le gland non jeter le trouble surtout pas fatal

le jour donc où griffé à l'aisselle au lieu de crier il chante le chant s'élève au présent ça repart au présent

je retire mes ongles il continue le même air il me semble je suis assez musicien cette fois j'ai ça dans ma vie cette fois et cette fois au vol quelques mots yeux cieux amour ce dernier peut-être au pluriel aussi chic nous usons du même idiome c'est énorme

ce n'est pas fini il s'arrête ongles dans l'aisselle il reprend voilà c'est gagné aisselle chanson et que cette musique aussi sûrement qu'en tournant un bouton je peux à tout instant me l'offrir dorénavant

ce n'est pas fini il continue coup sur le crâne il s'arrête et l'arrêter de même le coup sur le crâne signifiant en toute circonstance stop et cela de façon quasi mécanique à bien y réfléchir du moins s'agissant de la parole

mécanique pourquoi parce qu'il a pour effet le coup sur le crâne on parle maintenant du coup sur le crâne pour effet d'enfoncer le visage dans la boue la bouche le nez et jusqu'aux yeux et de quoi pourrait-il bien s'agir de quoi d'autre pour Pim que de paroles quelques paroles ce qu'il peut de temps à autre je ne suis pas un monstre

je ne vais pas me fatiguer à lui demander ce qu'il ne peut pas donner de se mettre sur la tête par exemple ou debout ou à genoux certainement pas

ou sur le dos ou sur le flanc pas rancunier plus maintenant ne souhaite plus à personne à chaque seconde de devoir sans pouvoir énormes cymbales bras géants ouverts deux cents degrés et pan vlan miracle miracle l'impossible fais l'impossible souffre l'impossible certainement pas

seulement qu'il chante ou parle et encore pas ceci plutôt que cela au début simplement parler ce qu'il veut ce qu'il peut de temps à autre quelques paroles pas plus

donc première leçon deuxième série mais d'abord lui prendre son sac là il résiste je lui griffe la main gauche jusqu'à l'os ce n'est pas loin il crie mais ne lâche pas le sang qu'il a dû perdre depuis le temps un temps énorme je ne suis pas mauvais on a dû le dire accès au sac ça je l'ai ma main gauche y pénètre furète après l'ouvre-boîte ici une parenthèse

pas de précisions pas de problèmes mais depuis le temps que nous voilà ensemble bien des couples s'en contenteraient se verraient mourir sans une plainte ayant eu leur compte et Pim tout ce temps un temps énorme pas un mouvement sinon des lèvres et par là le bas du visage pour chanter crier et convulsif de loin en loin de la main droite pour que tourne vert pâle l'heure qu'il ne verra jamais et ceux mal gré bien sûr par moi imprimés Pim n'a pas mangé

moi si sans rien dire tout n'est pas dit presque rien et c'est beaucoup trop moi j'ai mangé je lui ai offert à manger écrasé contre la bouche perdue dans les poils la boue ma paume dégoulinante de foie de morue ou similaire bien frotté peine perdue s'il se nourrit encore c'est de boue si ça en est je l'ai toujours dit cette boue par osmose à force à longueur de temps par capillarité

par la langue quand elle sort la bouche quand elle s'entrouvre les narines les yeux quand ils s'entrouvrent l'anus non il est à l'air les oreilles non plus

l'urètre peut-être après pisser la dernière goutte la vessie qui d'avoir tant refoulé aspire un instant certains pores aussi l'urètre peut-être un certain nombre de pores

cette boue je l'ai toujours dit elle vous maintient son homme en vie et il se cramponne au sac c'est là où il fallait en venir je le dis comme je l'entends lui sert-il seulement d'oreiller non plus il le serre à bout de bras tel le défenestré le rebord non voyez-vous ce sac je l'ai toujours dit ce sac est pour nous autres autre chose qu'un garde-manger qu'un coussin pour la tête qu'une présence amie qu'une chose à étreindre qu'une surface à couvrir de baisers autre chose tout à fait on n'en profite plus d'aucune manière et on s'y cramponne je lui devais ce tribut

ma main gauche à présent deuxième partie seconde moitié que fait-elle à présent au repos elle serre le sac à côté de celle de Pim plus rien sur ce sac l'ouvre-boîte l'ouvre-boîte bientôt Pim va parler

tant de boîtes encore là quelque chose qui m'échappe je les sors une à une dans la boue main gauche toujours jusqu'à l'ouvre-boîte enfin le mets dans ma bouche rentre les boîtes je ne dis pas toutes et mon bras droit pendant ce temps

tout ce temps un temps énorme tout ça au-dessus de mes forces véritablement avec Pim mes forces s'en vont c'est forcé on est deux mon bras droit le serre contre moi amour peur d'être abandonné un peu de chaque on ne sait pas on ne dit pas et ensuite

ensuite de ma jambe droite jetée en travers emprisonne les siennes on voit le mouvement prends l'ouvre-boîte dans ma droite le descends le long de l'échine et le lui enfonce dans le cul pas le trou vous pensez bien la fesse une fesse il crie je le retire coup sur le crâne il se tait c'est mécanique fin de la première leçon deuxième série repos ici parenthèse

cet ouvre-boîte où le mettre quand plus besoin le remettre dans le sac avec les boîtes certainement pas le tenir à la main la bouche non plus les muscles se relâchent la boue engloutit où donc

entre les fesses de Pim le ranger là peu élastiques mais encore assez là il ne risque rien en me disant ça se dit quelque part les mots sont là quelque part qu'avec quelqu'un pour me tenir compagnie j'aurais été un autre homme plus complet

non plus bas entre les cuisses c'est mieux la pointe en bas seul dépasse le petit bulbe du manche en poire là il ne craint rien en me disant trop tard un compagnon trop tard

deuxième leçon donc deuxième série même principe même déroulement troisième quatrième ainsi de suite un temps énorme jusqu'au jour ce mot encore où piqué au cul au lieu de crier il chante quel con ce Pim tout de même confondre cul et aisselle corne et acier le coup qu'il prend alors je vous jure heureusement qu'il n'est pas bête il a dû se dire que veut-on encore de moi que signifie ce nouveau martyre que je crie non pas chante non plus ça c'est l'aisselle de la cruauté lubrique nous avons vu que non vraiment je ne vois pas

qu'on ait son idée cela tombe sous les sens cet être est trop fin pour me demander l'impossible qu'est-ce qui donc ne m'est pas impossible chanter pleurer quoi d'autre que sais-je faire d'autre que saurais-je faire à la rigueur

penser peut-être si l'on veut c'est possible que fais-je d'autre en ce moment et ne voilà pas qu'on recommence hurlements coup sur le crâne silence repos

ce n'est donc pas ça non plus une chose possible non vraiment je ne vois pas si je demandais je vais demander un jour si je peux

non pas bête seulement lent et arrive le jour nous y arrivons où piqué à la fesse plus maintenant qu'une plaie à la place du cri un bref murmure c'est gagné

avec le manche de l'ouvre-boîte comme avec un pilon coup sur le rein droit plus commode que l'autre d'où je suis cri coup sur le crâne silence bref repos estocade au cul murmure inintelligible coup sur le rein signifiant une fois pour toutes plus fort cri coup sur le crâne silence bref repos

ainsi de suite avec de temps en temps histoire d'entretenir l'acquis retour à l'aisselle le chant s'élève ça marche pan coupé aussitôt tout ça me tue je vais renoncer lorsque touché au rein un jour enfin il n'est pas bête seulement lent au lieu de crier il articule hé vous moi quoi je ne hé vous moi quoi je ne ça va ça va j'ai compris coup sur le crâne c'est gagné il n'a pas encore l'habitude mais il l'aura quelque chose là qui m'échappe

je range l'outil entre ses cuisses ôte ma jambe de dessus les siennes de mon bras droit emprisonne ses épaules c'est comme le sac il ne peut pas me quitter mais je me méfie long repos en me disant les mots sont là que trop tard bien sûr mais néanmoins quel mieux déjà comme j'ai gagné

orgie de faux être vie commune courtes hontes je ne suis pas perdu à l'inexistence pas sans retour l'avenir le dira il est en train mais une telle souille bah même pas même pas bah brefs mouvements du bas du visage profitons silence cueillons silence de mort patientons

suite du dressage pas la peine sautons

tableau des excitations de base un chante ongles dans l'aisselle deux parle fer de l'ouvre-boîte dans le cul trois stop coup de poing sur le crâne quatre plus fort manche de l'ouvre-boîte dans le rein

cinq moins fort index dans l'anus six bravo claque à cheval sur les fesses sept mauvais même que trois huit encore même que un ou deux selon le tout de la main droite je l'ai dit et la gauche pendant tout ce temps un temps énorme je l'ai dit entendu dire en moi qui fut dehors quaqua de toutes parts murmuré dans la boue elle tient le sac à côté de la gauche de Pim mon pouce s'est glissé entre sa paume et ses doigts repliés

graphie puis la voix de Pim jusqu'à sa disparition fin de la deuxième partie plus que la troisième et dernière

de l'ongle donc de l'index droit je grave et lorsqu'il se casse ou tombe jusqu'à ce qu'il repousse d'un autre sur le dos de Pim intact au départ de gauche à droite et de haut en bas comme dans notre civilisation je grave mes majuscules romaines

débuts ardus suite moins il n'est pas bête seulement lent à la fin il comprend tout presque tout je n'ai rien à dire presque rien même Dieu ma pluie mon beau temps Dieu un peu souvent question comme à l'âge tendre c'est vague même Dieu à la fin il le comprend presque

un moment de l'âge tendre l'agneau noir des péchés du monde le monde nettoyé les trois personnes c'est vous dire et cette croyance l'impression depuis lors dix ans onze ans cette croyance que j'aurais eue l'impression depuis lors un temps énorme que j'allais la rattraper le manteau bleu le pigeon les miracles il comprenait cette enfance que j'aurais eue la difficulté d'y croire l'impression d'être né plutôt octogénaire à l'âge où l'on meurt dans le noir la boue en remontant né en remontant en faisant surface comme les noyés et tatata quatre pleins dos de caractères serrés l'enfance la croyance le bleu les miracles tout perdu jamais eu

le bleu qu'on voyait la poussière blanche les impressions de date plus récente plaisantes déplaisantes celles enfin que nulle émotion ne trouble des choses pas faciles

d'une traite pas un alinéa pas une virgule pas une seconde laissée à la réflexion avec l'ongle de l'index jusqu'à ce qu'il tombe et le dos fatigué saignant par endroits c'était vers la fin comme hier un temps énorme

mais vite un exemple parmi les simples dans les premiers temps ou héroïques puis à Pim la parole jusqu'à sa disparition fin de la deuxième partie plus que la troisième et dernière

de l'ongle donc de l'index droit en majuscules très grandes deux lignes entières plus courte la communication plus grands les caractères il suffit de savoir un peu à l'avance ce qu'on veut dire lui aussi sent la grande lettre ornée les serpents les diablotins à la bonne heure ce sera bref TOI PIM un temps TOI PIM dans les sillons ici une difficulté a-t-il saisi comment savoir le piquer simplement au cul c'est à dire parle il dira n'importe quoi ce qu'il peut alors que la preuve il me faut la preuve donc le piquer de façon spéciale signifiant une fois pour toutes réponds c'est donc ce que je fais quel mieux comme j'ai gagné

un coup spécial indescriptible un tour de main ce qui me vaut la satisfaction un jour un temps énorme moi Tim ou Jim pas Pim en tout cas pas encore le dos il ne l'a pas uniformément sensible encore mais il l'aura c'est déjà énorme c'est gagné repos

plus qu'à recommencer ne pas perdre courage en creusant bien le P et en le piquant comme il faut pour qu'un jour quitte à essayer toutes les consonnes de l'alphabet romain il réponde enfin c'est mathématique moi Pim ce qu'il fait enfin c'était forcé moi Pim claque à cheval sur les miches ouvre-boîte entre les cuisses bras autour de ses pauvres épaules repos c'est gagné

ainsi donc à quoi bon d'autres exemples c'était un mauvais élève moi un mauvais maître mais longueur de temps le peu qu'on avait à dire c'était rien

moi rien seulement dis ceci dis cela ta vie là-haut TA VIE un temps ma vie LA-HAUT un temps long là-haut DANS LA dans la LUMIÈRE un temps lumière sa vie là-haut dans la lumière octosyllabe presque à tout prendre un hasard moi donc rien sur moi ma vie quelle vie jamais rien presque jamais lui non plus sinon contraint de son propre gré jamais mais une fois lancé non sans plaisir l'impression ou bien illusion il ne tarissait plus jusqu'à dix quinze coups sur le crâne parfois tous les méats de la gueule dans la merde il fallait taper taper

la part d'invention énorme assurément une part énorme une chose qu'on ignore la menace le cul à sang les nerfs à vif on invente mais comment savoir imaginaire réel on ne peut pas on ne dit pas quelle importance c'est important ça l'était ça c'est magnifique une chose importante

cette vie donc qu'il aurait eue inventée remémorée un peu de chaque comment savoir cette chose là-haut il me la donnait je la faisais mienne ce qui me chantait les ciels surtout les chemins surtout où il se glissait comme ils changeaient suivant le ciel et où on allait dans l'atlantique le soir l'océan suivant qu'on allait aux îles ou en revenait l'humeur du moment pas tellement les gens très peu toujours les mêmes j'en prenais j'en laissais de bons moments il n'en reste rien

cher Pim revenu d'entre les vivants un autre la lui avait donnée cette vie de chien-là à boire et à manger je la donnerai à un autre la voix l'a dit en moi maintenant qui fut dehors quaqua de toutes parts comment le croire dans le noir la boue qu'une seule vie là-haut d'âge en âge jamais qu'une seule aux préférences près ha voilà aux besoins

voilà à moi ce dont j'ai besoin le plus besoin des aspects changeants voilà de la même vie toujours des aspects toujours changeants selon les besoins mais les besoins les besoins ce n'est donc pas ici toujours les mêmes besoins d'âge en âge les mêmes soifs la voix l'a dit

elle l'a dit je le murmure pour nous autres l'un après l'autre les mêmes soifs une seule vie là-haut selon les seuls besoins comme ici une seule comment le croire à moins de le croire volontiers ça dépend du jour de l'humeur du jour on reste d'humeur un peu changeante on peut se dire aucun son rien ne vous en empêche aujourd'hui je suis peut-être un peu moins triste qu'hier rien ne vous l'interdit

les choses que je ne voyais plus petites scènes première partie à leur place la voix de Pim Pim dans la lumière bleu du jour et de la nuit petites scènes les rideaux s'écartaient la boue la boue s'écartait ça s'allumait il voyait pour moi ça aussi on peut le dire rien ne s'y oppose

silences longs de plus en plus temps énormes en perte de plus en plus lui de réponses moi de questions marre de la vie dans la lumière une question tous les plus de chiffres plus de temps chiffre énorme temps énorme sur sa vie dans le noir la boue avant moi histoire surtout s'il vivait encore TA VIE ICI AVANT MOI confusion complète

Dieu sur Dieu désespoir de cause confusion complète s'il y croyait il y croyait puis pas plus moyen ses raisons dans les deux cas mon Dieu

je le piquais comme je le piquais à la fin bien avant histoire uniquement s'il vivait encore pan coup sur le crâne dans la boue sales larmes d'increvable frère

s'il entendait une voix si seulement ça s'il avait jamais entendu une voix des voix si seulement je lui avais demandé ça impossible je ne l'entendais pas encore la voix les voix comment savoir sûrement pas

moi non plus à la fin je ne l'entendrai plus jamais entendue elle l'a dit je le murmure seule la sienne non plus plus de Pim jamais eu de Pim jamais eu de voix comment le croire dans le noir la boue pas de voix pas d'images à la fin bien avant

échantillons ce qui vient remémoré imaginé comment savoir la vie là-haut la vie ici Dieu aux cieux oui ou non s'il m'aimait un peu si Pim m'aimait un peu oui ou non si moi je l'aimais dans le noir la boue quand même un peu d'affection trouver quelqu'un que quelqu'un vous trouve enfin vivre ensemble collés ensemble s'aimer un peu aimer un peu sans être aimé être aimé un peu sans pouvoir aimer répondre à ça laisser vague dans l'ombre

fin de la deuxième partie la première est finie plus que la troisième et dernière c'était de bons moments il y aura de bons moments de moins bons il faut s'y attendre mais d'abord un petit tour le dernier nouvelle position et effet sur l'âme

je lâche le sac lâche Pim c'est ça le pire lâcher le sac et hop en avant demi-flanc gauche pied droit main droite pousse tire à droite à droite ne pas le perdre devant sa tête épingle à cheveux à droite toujours puis redresser par-dessus son bras droit le long du flanc serrer et stop la tête contre ses pieds les siens contre la mienne long repos angoisse croissante

soudain retour en rasant ouest et nord de la main droite j'attrape sa peau trop grande pour lui et me tire en avant dernier petit tour jusqu'à ma place il ne fallait pas la quitter je ne la quitterai plus je reprends le sac il n'a pas bougé Pim n'a pas bougé nos mains se touchent long repos long silence temps énorme

TA VIE LA-HAUT plus besoin de lumière deux lignes seulement à Pim la parole il tourne la tête larmes aux yeux les miens les miennes si j'en avais c'est alors qu'il m'en fallait pas maintenant

sa joue droite contre la boue sa bouche contre mon oreille chevauchement de nos épaules étroites ses poils dans les miens haleine humaine murmure aigu si trop fort doigt dans le cul je ne bougerai plus je suis à cette place encore

vite insupportable coup sur le crâne long silence temps énorme ouvre-boîte fesse ou majuscules s'il n'y est plus TA VIE CON LA-HAUT CON ICI CON bout à bout fragments épars ordres d'idées divers pas tellement et pour finir ce serait bien du tac au tac M'AIMES-TU non ou ongles aisselle et petite chanson pour finir ce serait bien fin de la deuxième plus que la troisième et dernière le jour arrive j'y arrive Bom arrive TOI BOM moi Bom MOI BOM toi Bom nous Bom

il arrive j'aurai une voix plus de voix au monde que la mienne un murmure eu une vie là-haut ici verrai de nouveau mes choses un peu de bleu sous la boue un peu de blanc nos choses petites scènes ciels surtout et chemins et moi me verrai moi m'entreverrai dix secondes quinze secondes bien coi dans mon coin ou la nuit venue enfin moins de lumière un peu moins les bonnes gens au lit me hâtant vers le suivant le dernier bien meilleur plus sûr ce sera bien de bons moments qu'est-ce que j'aurai eu comme bons moments là-haut ici plus qu'à monter au ciel

échantillons ma vie là-haut la vie de Pim on parle de Pim ma vie là-haut ma femme arrêt ouvre-boîte fesse lent à partir puis il s'emballe coup sur le crâne long silence

ma femme là-haut Pam Prim je ne sais plus je ne la vois plus elle se rasait la motte jamais vu ça je parle comme lui moi je parle on parle de moi comme lui petits paquets grammaire d'oiseau plus la tête à ça puis floc dans le trou

je parle comme lui Bom parlera comme moi qu'un parler ici l'un après l'autre la voix l'a dit elle parle comme nous la nôtre à tous quaqua de toutes parts puis en nous quand ça cesse de haleter des bribes d'elle que nous le tenons notre vieux parler chacun sa guise ses besoins ce qu'il peut elle se tait la nôtre commence recommence comment savoir

Pam Prim on s'aimait tous les jours tous les trois puis le samedi puis comme ça par-ci par-là pour se débarrasser essaya de relancer par le cul trop tard elle tomba de la fenêtre ou se jeta colonne brisée à l'hôpital avant de passer tous les jours tout l'hiver elle me pardonnait à tout le monde le monde entier elle devenait bonne Dieu la rappelait le mont bleui drôle d'idée pas mauvaise brune alors sur le lit de mort ça repoussait

les fleurs sur la table de nuit elle ne pouvait tourner la tête je vois les fleurs je les tenais devant ses yeux à bout de bras les choses qu'on voit main droite main gauche devant ses yeux c'était ma visite pendant ce temps elle pardonnait des marguerites du latin perle c'est tout ce que j'avais pu trouver

lit en fer ripoliné blanc cinquante de large tout était blanc haut sur pattes j'y voyais assez l'amour voir les meubles des autres et pas l'être aimé avouez

assis au pied du lit au bord tenant le vase une flûte verdâtre les pieds dans le vide les fleurs entre nous le visage à travers que je ne sais plus comment c'était intact seulement blanc comme craie il n'avait rien pris ou mon regard errait elles étaient bien une vingtaine

sorti de là la route qui descend bordée d'arbres des milliers tous pareils même essence jamais su laquelle des kilomètres de rampe tout droit jamais vu ça grimper là-haut l'hiver le verglas les branches noires grises de givre elle là-haut au bout mourant pardonnant toute blanche le houx qu'elle avait imploré des baies n'importe un peu de couleur un peu de vert tellement blanc du lierre n'importe lui dire que je n'avais pu trouver trouver les mots les endroits elle a dû faire ça en été juillet ahou trouver les mots lui dire les endroits où j'avais cherché pied gauche pied droit un pas en avant deux en arrière

ma vie là-haut ce que je faisais dans ma vie là-haut un peu de tout tout essayé puis renoncé ça allait la même chose toujours un trou une ruine toujours à manger jamais doué pour rien pas fait pour cette chinoiserie errer dans les coins et dormir tout ce que je voulais je l'ai eu plus qu'à aller au ciel

papa aucune idée dans le bâtiment peut-être quelque part tombé de l'échafaudage sur le cul non l'échafaudage qui est tombé lui avec atterri sur le cul cent kilos mort éclaté ça devait être lui ou l'oncle Dieu sait

maman non plus colonne de jais bible invisible dans la main noire que la tranche dorée rouge le doigt noir dedans psaume cent et quelque oh Dieu l'homme ses jours comme l'herbe la fleur le vent là-haut dans les nues la face blancheur d'ivoire lèvres marmottantes tout le bas c'est possible

personne jamais connu personne toujours fui couru ailleurs des endroits ma vie là-haut que des endroits des chemins brefs endroits chemins longs les plus courts ou mille détours les plus sûrs toujours la nuit moins de lumière un peu moins A à B B à C home enfin lieu sûr tomber dormir

premiers bruits pas chuchotements cliquetis de fer pas regarder tête dans les bras yeux contre la terre macfarlane par-dessus tout tourner la tête à l'abri de la cape faire une fente ouvrir les yeux vite les refermer fermer la fente attendre la nuit

B à C C à D d'enfer en home enfer en home en enfer toujours la nuit Z à A oubli divin assez

pensait-il pensions-nous juste pour parler pour écouter même pas virgule une bouche une oreille vieilles malignes l'une contre l'autre enlever le reste les mettre dans un bocal achever là s'il a une fin le monologue

rêvassions alors ça au moins mais non rêvasser moi moi Pim Bom à venir penser moi pah

tout seul Pim tout seul avant moi sa voix revenue parlait-il comme moi troisième partie comme moi je murmure dans la boue ce que j'entends en moi quand ça cesse de haleter des bribes si seulement j'avais demandé impossible je ne savais pas je ne parlais pas encore il n'aurait pas su ALORS ALORS je ne sais pas je ne saurai pas je n'ai pas demandé on ne me demandera pas ma voix s'en va elle reviendra ma première là-haut non plus la vie de Pim là-haut jamais été jamais parlé à personne jamais tout seul des mots muets aucun son je veux bien brefs mouvements du bas grande confusion comment savoir

si Bom ne venait pas si seulement ça mais alors comment finir cette fesse la main qui plonge tâtonnante de l'imagination donc et la suite et cette voix ses consolations ses promesses de l'imagination cher fruit cher ver

tout ça toujours chaque mot comme je l'entends en moi qui fut dehors quand ça cesse de haleter et le murmure dans la boue des bribes je le rappelle chaque mot toujours je ne le dirai plus et maintenant quoi pour finir y a-t-il autre chose avant de continuer finir la deuxième plus que la troisième et dernière oui tout seul il y a tout seul hélas

tout seul et le témoin penché sur moi nom Kram penché sur nous de père en fils en petit-fils oui ou non et le scribe nom Krim générations de scribes tenant le greffe un peu à l'écart assis debout on ne dit pas oui ou non échantillons extraits

brefs mouvements du bas du visage aucun son ou trop faible

dix mètres une heure quarante six mètres l'heure autrement dit on voit mieux dix centimètres à la minute quatre doigts un peu plus je me suis rappelé mes jours la largeur de la main ma vie comme un rien l'homme debout qu'un souffle

s'acharne à ouvrir boîte pas vu de quoi changer nos lampes renonce remet boîte et ouvre-boîte dans le sac très calme

dormi six minutes souffle haché parti dès réveil six mètres un peu plus une heure douze s'effondre

fin de la septième année d'immobilité début de la huitième brefs mouvements du groin semble manger la boue

trois heures matin commence à murmurer passée ma surprise pu saisir quelques bribes Pim Bim nom propre vraisemblablement imaginaires songes choses souvenirs impossibles vies tout au pluriel à tout hasard voilà mon aîné vieux chantier adieu

silences monstres temps énormes néant parfait relu les notes de l'aïeul histoire de passer le temps début du murmure son dernier jour le veinard assister à ça à quoi je sers

relu nos notes histoire de passer le temps plus question de moi que de lui à peine s'il bafouille encore plus d'un an déjà j'en perds les neuf dixièmes ça part si soudain sonne si faible va si vite dure si peu je me précipite c'est fini ça ne bouge pas plus qu'un gisant et défense de le quitter des yeux à quoi ça sert Krim dit qu'il va crever moi aussi on n'ose pas lâcher vivement qu'on crève c'est la seule solution

hier dans le cahier de grand-père l'endroit où il souhaite mourir défaillance heureusement honneur de la famille passagère il a tenu bon jusqu'à la retraite moi heureusement l'ennui l'inaction laisse-moi rire question de caractère et le métier dans le sang

je suis couché à ses côtés heureuse innovation mieux à même ainsi de le surveiller pas un frisson qui m'échappe qu'assis sur le petit banc à la manière des anciens même papa et au point où il en est moins à l'œil qu'à l'oreille si j'ose c'est clair faut de l'initiative

Krim pareil droit comme un if à son pupitre tout à son affaire bic au clair à l'affût du moindre ce n'est pas l'ouvrage qui manque si rien j'invente faut s'occuper sinon la mort

un cahier pour le corps pets inodores selles idem de la boue pure succions tressaillements petits spasmes de la main gauche dans le sac frémissements du bas sans son mouvements doux posés de la tête la face qui se détache de la boue la joue gauche ou droite et la joue qui s'y pose à sa place gauche ou droite la face ou la joue droite la joue gauche ou la face selon le cas du nouveau à mon avis un bon point pour moi ça me rappelle quoi

Kram Sept à l'extrémité peut-être la tête plus blanche que la taie et moi encore qu'un merdeux serait-ce la fin enfin l'agonie longue calme et moi l'heureux élu un cahier pour tout ça en tout cas on peut y lire échantillon huit mai fête de la victoire impression qu'il s'enfonce Krim me traite de fou

un second pour le bafouillage du mot à mot j'y touche à peine un troisième celui-ci pour mes commentaires alors que jusqu'à présent tout pêle-mêle dans le même bleu jaune et rouge respectivement il suffisait d'y penser

baignant dans la lumière de mes lampes à en avoir la peau en eau il marmonne d'obscurité serait-il aveugle probable il ouvre parfois de ces grands yeux immenses d'un bleu et d'un compagnon moi je n'en vois point dans sa tête le noir l'ami

défense d'y toucher on pourrait le soulager Krim veut passer outre lui nettoyer les fesses au moins essuyer le visage qu'est-ce qu'on risque personne ne saura on ne sait jamais vaut mieux pas

rêvé au grand Kram Neuf le plus grand de nous tous à ce jour pas connu dommage pépé s'en souvenait fou furieux avant la limite remonté de force ficelé comme un saucisson Krim disparu jamais revu lui le premier à avoir pitié sans effet heureusement honneur de la famille à supprimer le petit banc fâcheuse innovation pas retenue et l'idée des trois cahiers restée sans suite en quoi la grandeur elle est là

riche témoignage d'accord contestable au demeurant surtout le cahier jaune pas ça la voix d'ici ici tout moi à abandonner ne rien dire quand rien

bleus les yeux moi je les vois vieille pierre peut-être notre nouvelle lumière du jour ça d'accord l'ami dans la tête et le noir ça évidemment et la voix leur voix à tous moi je n'entends rien et quels tous merde je suis le treizième du nom

là encore évidemment comment savoir nos sens à nous nos clartés qu'est-ce que c'est la preuve et si moi treize vies ici je dis treize mais déjà avant depuis combien déjà d'autres dynasties

cette voix c'est malheureux par moments il me semble l'entendre et mes phares que mes phares s'éteignent Krim me traite de fou

un peu plus de deux ans à tirer puis remonter ah non me coucher si je pouvais me coucher plus bouger j'en suis capable défaillance passagère par pitié aller un peu plus loin s'il y a un peu plus loin on ne connaît que ce petit champ éclairé autrefois ça bougeait c'est dans le livre un peu plus loin dans la boue le noir tomber mon aîné mourant à son petit-fils ton papa son pépé il disparut dedans jamais revu penses-y quand ton heure viendra

petit calepin à part ces notes intimes petit calepin à moi effusions de l'âme au jour le jour c'est défendu un seul grand livre et tout dedans Krim s'imagine que je dessine quoi paysages visages aimés oubliés

assez fin des extraits oui ou non oui ou non non non pas de témoin pas de scribe tout seul et cependant je l'entends le murmure tout seul dans le noir la boue et cependant

et maintenant pour continuer pour finir pour le pouvoir encore quelques petites scènes la vie là-haut dans la lumière comme ça vient tel quel mot à mot dernières petites scènes je le lance l'arrête coup sur le crâne impossible d'en entendre davantage ou il s'arrête impossible d'en dire davantage c'est l'un ou l'autre ouvre-boîte aussitôt ou pas souvent pas et silence repos

il s'est tu je l'ai fait taire laissé se taire l'un ou l'autre pas indiqué la chose s'arrête silence long plus ou moins pas indiqué long repos plus ou moins je le lance ouvre-boîte ou majuscules selon sinon jamais un mot nouvelle suite ainsi de suite les blancs sont les trous sinon ça coule plus ou moins plus ou moins grands les trous on parle des trous impossible d'indiquer pas la peine je les reconnais attends la suite ou me trompe et ouvre-boîte ou ouvre-boîte quand même ça l'aide à en sortir pas indiqué tel quel comme ça vient mot à mot pour continuer finir le pouvoir la deuxième plus que la troisième et dernière

quel pays tous les pays soleil de minuit nuit de midi toutes latitudes toutes longitudes

toutes longitudes

quels hommes tout le spectre du noir au blanc tous essayés puis renoncé ça allait la même chose trop vague pardon pitié rentré pour mourir au pays natal la vingtaine santé d'acier là-haut dans la lumière ma vie gagné ma vie tout essayé le bâtiment surtout il allait toutes les branches le plâtre surtout rencontré Pam je crois

l'amour naissance de l'amour croissance décroissance mort efforts pour ressusciter par le cul conjugués vains à nouveau par le con vains jetée par la fenêtre ou tombée colonne brisée hôpital marguerites mensonges à propos du gui pardon

sortais le jour non la nuit moins de lumière un peu moins sortais la nuit le jour me terrais un trou une ruine pays jonché de ruines tous les âges mon chien spinal ou spinal dog il me léchait les parties Skom Skum passé sous un tombereau n'avait pas toute sa tête colonne brisée la trentaine en vie toujours santé de fer que faire que faire

vie petites scènes juste le temps de voir tentures qui s'écartent lourd branle de velours noir quelle vie de qui dix ans douze ans endormi au soleil au pied du mur poussière blanche épaisse d'un palme azur petits nuages d'autres détails silence qui retombe

quel soleil de quoi j'ai parlé n'importe j'ai parlé c'est ce qu'il fallait vu quelque chose appelé ça là-haut dit que c'était ainsi que c'était moi dix ans douze ans endormi au soleil dans la poussière pour avoir la paix je l'ai je l'ai eue ouvre-boîte fesse scène mots suivants

mer sous la lune sortie du port après le soleil la lune lumière toujours jour et nuit petit tas à l'arrière moi tous ceux que je vois moi tous les âges le courant m'emporte le reflux attendu je cherche une île home enfin tomber ne plus bouger un petit tour le soir jusqu'au rivage côté large puis rentrer tomber dormir me réveiller dans le silence yeux qui peuvent rester ouverts vivre vieux rêve de crabes d'algues

à l'arrière qui s'éloigne terre des frères et lumières qui s'éteignent montagne si je me retourne clapotis plus fort il tombe je tombe à genoux rampe vers l'avant cliquetis de chaînes c'est peut-être un autre un autre voyage confusion avec un autre quelle île quelle lune on dît la chose qu'on voit les pensées quelquefois qui vont avec elle disparaît la voix continue quelques mots elle peut s'arrêter elle peut continuer on ne sait pas de quoi ça dépend on ne dit pas

de quoi les ongles qui peuvent continuer la main morte quelques millimètres un peu longue la vie à les quitter la chevelure la tête morte un cerceau qu'un enfant fait rouler moi plus haut que lui moi je tombe disparais le cerceau roule encore perd l'erre chancelle tombe disparaît l'allée est tranquille

impossible de continuer moi on parle de moi pas Pim Pim est fini il a fini moi maintenant dans la troisième pas Pim une voix à moi qui dit ça ces mots impossible de continuer et Pim que Pim n'a jamais été et Bom que j'attends pour finir être fini moi aussi que Bom ne sera jamais pas de Pim pas de Bom et la voix quaqua la nôtre à tous non plus jamais été une seule voix la mienne jamais d'autre

tout ça pas Pim moi qui murmure tout ça une voix à moi tout seul et que penché sur moi en train de noter un mot sur trois deux sur cinq de génération en génération un mot sur oui ou non mais surtout continuer impossible pour le moment tout à fait c'est l'essentiel voire une folie je l'entends le murmure dans la boue à la boue folie folie arrête ton rené ramène la boue contre ton visage les enfants le font dans le sable au bord de la mer dans les campagnes les carrières les moins fortunés

tout contre tout autour enfant tu l'aurais fait dans les sablières même toi la boue plus haut que les tempes qu'on ne voie plus que trois cheveux gris vieille moumoutte jetée aux ordures faux crâne moisissant et repos tu ne peux rien dire quand les temps finiront tu finiras peut-être

tout ça le temps de dire tout ça ma voix une voix à moi pas comme ça plus bas moins clair mais le sens et retour à Pim où abandonné deuxième partie elle peut encore finir il le faut c'est mieux plus qu'un tiers deux cinquièmes puis la dernière plus que la dernière

F donc bien profond foin de lumière vite la fin là-haut dernière chose dernier ciel cette mouche peut-être glissant sur la vitre sur le drap tout l'été devant elle ou midi gloria de couleurs derrière la vitre dans l'embrasure de la caverne et les voiles qui arrivent

deux voiles l'un de gauche l'autre de droite qui arrivent se rejoignent ou l'un qui descend l'autre qui monte ou pan coupé en diagonale de l'angle supérieur gauche ou droit inférieur droit ou gauche un deux trois et quatre qui arrivent se rejoignent

une première paire puis d'autres par-dessus autant de fois qu'il le faut ou une première un deux trois ou quatre une deuxième deux trois quatre ou un une troisième trois quatre un ou deux une quatrième quatre un deux ou trois autant de fois qu'il le faut

pour quoi pour être heureux pour que les yeux dilatés les prunelles il fasse en plein jour nuit plutôt la mouche de bon matin quatre heures cinq heures le soleil se lève sa journée commence la mouche on parle d'une mouche sa journée son été sur la vitre le drap sa vie dernière chose dernier ciel

F donc bien profond vite la fin là-haut la lumière ma claque et ongle sur la peau pour la barre supérieure du I romain quand soudain trop tôt trop tôt quelques petites scènes encore soudain je barre une croix dessus bien profond Saint-André de la Mer Noire et ouvre-boîte c'est-à-dire encore j'ai de ces sautes

ma vie encore là-haut dans la lumière dans le sac ça remue s'apaise remue encore à travers la trame râpée le jour qui passe moins blanc bruits secs toujours lointains mais moins c'est le soir il sort du sac tout petit encore moi je suis encore là le premier est toujours moi ensuite les autres quel âge mon Dieu cinquante soixante quatre-vingt ratatiné à genoux fesses sur les talons mains par terre écartées comme des pieds c'est très net mal aux cuisses le cul se soulève la tête bascule frôle la paille c'est mieux bruit de balai la queue du chien nous voulons nous en aller home enfin

mes yeux s'ouvrent trop jour encore je vois chaque paille on tape trois ou quatre au moins marteaux ciseaux des croix peut-être ou quelque autre ornement

à quatre pattes gagne la porte lève la tête mais oui zyeute par une fente au bout du monde j'irais ainsi au bout du monde à genoux j'en ferais le tour à genoux bras pattes de devant yeux à deux doigts du sol l'odorat me revient mes rires par temps sec soulèvent la poussière à genoux le long des passerelles dans les entreponts avec les émigrants

jour mauve homérique onde mauve parmi les rues les sérotines sortent nous pas encore pas si bêtes c'est moi le cerveau bruits toujours lointains toujours moins c'est l'air du soir qui veut ça il faut comprendre ces choses et plus tard qui approche que ce n'est qu'un grincement de roues qui approche jante bandée de fer cahotant sur les cailloux peut-être la moisson qui rentre mais alors les sabots n'importe me revoilà comme je dure à genoux toujours mains jointes devant le visage bouts des pouces joints devant le bout du nez bouts des doigts joints devant la porte sommet de la tête ou vertex contre la porte on voit l'attitude ne sachant quoi dire qui implorer quoi implorer n'importe c'est l'attitude qui compte c'est l'intention

comme je dure il fera nuit un jour tout dormira nous nous glisserons dehors queue qui balaie la paille il n'a plus toute sa tête à moi maintenant de penser pour nous deux voilà les rideaux qui arrivent très chers de gauche de droite nous effacent puis le reste toute la porte qui passe vie là-haut petite scène je n'aurais pu l'imaginer je n'aurais

coup sur le crâne à quoi bon l'autopsie puis quoi puis quoi nous allons essayer de voir puis derniers mots du tac au tac quelques mots M'AIMES-TU CON non disparition de Pim fin de la deuxième plus que la troisième et dernière on ne peut continuer on continue la même chose pourra-t-on s'arrêter arrêter c'est là plutôt on ne peut continuer on ne peut s'arrêter arrêter

donc Pim s'arrête la vie là-haut dans la lumière n'en pouvant plus moi consentant ou coup sur le crâne n'en pouvant plus moi c'est l'un ou l'autre et puis quoi lui moi je vais lui demander mais d'abord moi quand Pim s'arrête ce que je deviens mais d'abord les corps collés flanc contre flanc moi au nord bon voilà pour les troncs les jambes mais les mains quand Pim s'arrête où sont que font les bras les mains

son droit à lui là-bas à droite axe de la clavicule ou croix Saint-André de la Volga le mien autour de ses épaules son cou je ne vois pas voilà pour les bras droits et leurs mains je ne vois pas on ne dit pas à l'avenant et les autres les gauches les bras on parle de nos bras allongés devant nous les mains ensemble dans le sac bon voilà pour les quatre bras les quatre mains mais ensemble comment se touchant seulement ou jointes

jointes mais jointes comment comme dans la poignée non mais la sienne à plat la mienne dessus les doigts recourbés glissés entre les siens les ongles contre la paume c'est la position qu'elles ont fini par adopter là je vois bien bon et parenthèse la vision soudain trop tard un peu tard de comment mes ordres par une autre voie plus humaine

mes exigences par un autre jeu de signaux tout autre plus humain plus fin de la main à la main dans le sac les gauches ongles et paume grattages pressions mais non toujours la droite coup sur le crâne griffes dans l'aisselle pour la chanson fer de l'ouvre-boîte dans la fesse manche qui pilonne le rein claque à cheval et index dans le trou tout le nécessaire jusqu'au bout dommage bon et les têtes tête contre tête fatalement mon épaule droite ayant grimpé sur sa gauche à lui j'ai le dessus partout mais contre comment comme deux vieux canassons attelés ensemble non mais la mienne ma tête la face dans la boue la sienne sur la joue droite sa bouche contre mon oreille nos poils emmêlés impression que pour nous séparer il aurait fallu les trancher bon voilà pour les corps les bras les mains les têtes

ce donc qu'on devenait lui moi retombons dans le passé dans cette posture quand Pim s'arrêtait n'en pouvant plus moi consentant ou coup sur le crâne n'en pouvant plus moi je vais lui demander mais moi moi

question ce qu'il vient de dire plutôt moi d'entendre de cette voix ruinée de s'être si longtemps tue le tiers les deux cinquièmes ou alors tout chaque mot question si là quand elle s'arrête si là-dedans quelque part matière à réflexion prière sans paroles contre la porte d'une étable longue montée glacée vers la toute pardonnante trop tard quoi encore la nuit au large à la morte-eau sur la petite mer pauvre en îles ou alors quelque autre voyage

là de quoi tromper un moment de cette vaste saison ou rien qu'un peu d'eau pour la soif qu'on boit et bonsoir réponse qu'un peu d'eau croupie j'en boirais bien à cette heure

et question ce que je vais lui demander tout à l'heure vais bien pouvoir lui demander encore m'occuper de cela ne serait-ce que quelques secondes ce serait de bonnes secondes réponse non plus question pourquoi réponse parce que hé oui de la raison il m'en reste tout ce que je lui ai demandé et ne sais plus seulement quoi mais seulement sais-je seulement qu'il est là encore à moitié dans mes bras collé contre moi de tout son petit long savoir ça au moins et dans ce petit corps sans âge noir de vase quand le silence se referme du sentiment encore assez pour qu'il soit là encore

avec moi quelqu'un là encore avec moi et moi là encore étrange vœu quand le silence là encore assez pour pouvoir me demander ne serait-ce que quelques secondes s'il respire encore ou dans mes bras déjà un vrai cadavre insuppliciable désormais et cette tiédeur sous mon bras contre mon flanc de la boue seulement qui reste tiède nous l'avons vu les mots vous font voir du pays avec eux d'étranges voyages

allons gai donc encore pousse tire si seulement un hareng de temps en temps une crevette ce serait de bons moments hélas plus là le chemin il ne passe plus par là les boîtes au fond du sac hermétiquement sous vide sur leurs morts à jamais fermées la voix s'arrête la vie là-haut dans la lumière pour l'une ou l'autre raison nous avec voilà ce qu'on devient moi en tout cas lui je vais lui demander ce que moi en tout cas je deviens quand le silence m'arrête puis recommence voilà le chemin ouvre-boîte ou majuscules et dans les poils contre mon oreille la voix extorquée la vie là-haut un murmure manche dans le rein plus haut plus haut plus clair et ce que je deviendrai quand je ne l'aurai plus j'en aurai une autre quaqua notre voix à tous je ne disais pas ça je ne savais pas puis la mienne à moi non plus

non rien je ne disais rien je le dis comme je l'entends je disais toujours brefs mouvements du bas aucun son la voix de Pim contre mon oreille que je l'aurais toujours la vie là-haut pas possible autrement nos petites scènes du bleu le jour toujours beau temps quelques nuages des flocons la nuit les astres corps célestes jamais noir à volonté confidentielle entre nous des secrets un murmure toujours même qu'à mon avis je l'entends jamais la question je le murmure mon avis jamais la question ne dut m'effleurer le doute mon avis je l'entends murmure jamais jamais

bref voix de Pim puis rien la vie comme nous disons petite scène une minute deux minutes de bons moments puis rien d'encore meilleurs à n'en pas douter Kram attend un an deux ans il nous connaît quelque chose là qui ne va pas mais tout de même deux ans trois ans à la fin à Krim ils sont morts quelque chose là qui ne va pas

Krim morts tu es malade on ne meurt pas ici et de son long index griffu Kram ébranlé de trouer la boue une petite cheminée jusqu'à la peau puis à Krim tu as raison ils sont tièdes Krim à Kram rôles renversés c'est la boue Kram on va laisser à l'air voir un an deux ans doigt de Kram encore tièdes

Krim je ne peux le croire prenons leur température Kram inutile la peau est rose Krim rose tu es malade Kram ils sont tièdes et roses voilà nous sommes rien et nous sommes roses de bons moments à n'en pas douter

bref encore une fois pour toutes voix de Pim puis rien rien puis voix de Pim je la fais taire souffre qu'elle se taise pour ne plus être enfin la fais repartir pour être enfin de nouveau quelque chose là qui m'échappe car moi être pour pouvoir majuscules ouvre-boîte fatal logique de la raison il m'en reste

en somme plus vivant c'est là où je voulais en venir m'y en voilà venu je le dis comme je l'entends plus comment dire plus vivant il n'y a pas mieux avant Pim première partie plus indépendant je voyais mes images à moi rampais mangeais pensotais même un petit peu si l'on y tient perdais l'unique ouvre-boîte m'accrochais à l'espèce mille et un petits trucs avec émotions rires même pleurs à l'avenant vite séchés bref m'accrochais rien aussi bien sûr souvent rien malgré tout mort rose et tiède j'y étais prédisposé depuis la matrice tel que de moins en moins ça c'est vrai je me connais depuis la matrice ça cesse de haleter je le murmure

même Pim avec Pim au début deuxième partie première moitié premier quart plus vivant avoir su comme je le sus le dresser comme je le fis imaginer un système pareil puis l'appliquer je n'en reviendrai pas le faire fonctionner ma perte car depuis c'est net un œil s'entrouvre vite se referme je me suis vu depuis lors plus que voix

celle de Pim puis quaqua à nous tous enfin à moi tout seul celle à nous tous à moi tout seul à ma manière un murmure dans la boue dans l'air noir rare plus qu'ondes brèves trois cents quatre cents mètres seconde brefs mouvements du bas avec murmure petit tremblement à ras la boue un mètre deux mètres moi si vivant plus que mots un murmure de loin en loin

tant de mots tant de perdus un sur trois deux sur cinq le son puis le sens même proportion ou bien aucun j'entends tout comprends tout et revis j'ai revécu je ne dis pas là-haut dans la lumière parmi les ombres cherchant l'ombre je dis ici TA VIE ICI bref ma voix sinon rien donc rien sinon ma voix donc ma voix tant de mots bout à bout un murmure comme quoi premier exemple comme quoi elle me quitte comme les autres puis rien rien que rien puis Bom la vie avec Bom les vieux mots revenus de loin quelques-uns il y tient il est à ma gauche le bras droit autour de moi la main gauche dans le sac dans la mienne l'oreille contre ma bouche ma vie là-haut tout bas quelques vieux pourris de la vieille azur l'immortel matin amenant soir noms d'autres divisions du temps quelques fleurs usuelles nuits toujours trop claires quoi que l'on dise lieux sûrs successifs infernaux homes il m'aura toujours moments tout bas à volonté de la longue peste qui ne nous acheva pas puis na seul comme un rat de la tête aux pieds dans le noir la boue

ou comme quoi deuxième exemple pas de Pim pas de Bom moi seul une seule voix la mienne elle me quitte me revient moi avec ou enfin sous les feux troisième exemple et dernier sous les feux de l'observateur idéal la bouche soudain qui s'agite et tout autour tout le bas la langue qui jaillit rose un instant un peu de bave qui perle puis soudain ligne droite lèvres avalées plus trace de muqueuse gencives qu'on devine serrées à bloc d'un bout à l'autre de leur cintre il ne se doute de rien mais où suis-je passé puis soudain derechef puis puis où vais-je de puis en puis et entre mais d'abord vite en finir avec la vie en commun fin enfin de la deuxième plus enfin que la dernière

TA VIE ICI temps long TA VIE ICI bien profond temps long cette âme morte quel effroi je peux m'imaginer TA VIE inachevé car murmure lumière lumière du jour et de la nuit petite scène ICI jusqu'au sang et quelqu'un à genoux ou accroupi dans un coin d'ombre début de petite scène dans la pénombre ICI ICI jusqu'à l'os l'ongle s'en casse vite un autre dans les sillons ICI ICI hurlements coup sur le crâne toute la face dans la boue la bouche le nez plus de souffle et hurlements encore jamais vu ça sa vie ici hurlements dans l'air noir et dans la boue de vieil enfant inétouffables bon recommençons ICI ICI jusqu'à la moelle les hurlements ça se boit des années solaires pas de chiffres jusqu'à ce qu'enfin bon c'est vu la vie ici cette vie il ne peut pas

des questions donc M'AIMES-TU CON cette famille du tac au tac pour finir nous y voilà enfin s'il se rappelle comment venu non un jour il s'est trouvé là oui comme lorsqu'on naît oui si l'on veut oui s'il sait il y a combien non aucune idée non s'il se rappelle comment vécu non toujours vécu comme ça oui aplati dans la boue oui le noir oui avec son sac oui

jamais une lueur non jamais personne non jamais de voix non moi la première personne oui jamais bougé non rampé non quelques mètres non mangé un temps MANGE bien profond non s'il sait quoi dans le sac non jamais eu la curiosité non s'il croit pouvoir mourir un jour un temps MOURIR UN JOUR non

jamais fait pour personne ce que moi pour lui animer non sûr oui jamais senti contre la sienne une autre chair non heureux non malheureux non s'il me sent contre lui non seulement quand je le martyrise oui

s'il aime chanter non mais quelquefois il chante oui toujours la même chanson un temps LA MÊME CHAN oui s'il voit des choses oui souvent non des petites scènes oui dans la lumière oui mais pas souvent non comme si ça s'allumait oui comme si oui

ciel et terre oui des gens fouinant partout oui et lui là quelque part oui tapi quelque part oui comme si la boue s'ouvrait oui ou se faisait transparente oui mais pas souvent non pas longtemps non sinon le noir oui il appelle ça la vie là-haut oui par opposition à la vie ici un temps ICI hurlements bon

ce ne sont pas des souvenirs non il n'a pas de souvenirs non il n'a pas été forcément là-haut non dans les endroits qu'il voit non mais il y a été peut-être oui tapi quelque part oui rasant les murs la nuit oui il ne peut rien affirmer non nier non on ne peut donc pas parler de souvenirs non mais on peut aussi en parler oui

s'il se parle non pense non croit en Dieu oui tous les jours non souhaite mourir oui mais n'y compte pas non il compte rester là oui dans le noir oui la boue oui aplati comme une punaise oui sans mouvement oui sans pensée oui éternellement oui s'il est sûr de ce qu'il dit non il ne peut rien affirmer non il a pu oublier beaucoup de choses non certaines petites choses oui le peu qu'il y a eu oui comme d'avoir rampé un peu oui mangé un peu oui pensé un peu murmuré un peu pour lui tout seul oui entendu une voix humaine non il n'aurait pas oublié ça non frôlé un frère avant moi non il n'aurait pas oublié ça non

s'il veut que je le laisse oui en paix oui sans moi c'est la paix oui c'était la paix oui tous les jours non s'il croit que je vais le laisser non je vais rester là oui collé contre lui oui à le martyriser oui éternellement oui

mais il ne peut rien affirmer non nier non ça a pu se passer autrement oui sa vie ici un temps sa vie ici a pu se passer autrement un temps TA VIE ICI bien profond dans les sillons hurlements coup sur le crâne face dans la boue nez bouche hurlements dans la boue bon c'est vu il ne peut pas

LA-HAUT ça s'allume petites scènes dans la boue ou mémoire d'anciennes les mots il les trouve pour la paix ICI hurlements cette vie il ne peut pas ou plus il a pu comment c'était avant l'autre avec l'autre après l'autre avant moi le peu qu'il y a eu presque tout comme moi ma vie ici avant Pim avec Pim comment c'était le peu que j'ai eu tout ça j'ai pu le dire je crois comme je l'entends et dis pour finir par son exemple instruit tout bas à la boue vite vite bientôt plus moi non plus jamais de Pim jamais eu jamais rien de tout ce peu vite donc le peu qui reste vite l'ajouter avant Bom avant qu'il vienne me le demander comment c'était ma vie ici avant lui le peu qui reste vite l'ajouter comment c'était après Pim avant Bom comment c'est

vite donc fin enfin de la deuxième comment c'était avec Pim plus enfin que la troisième et dernière comment c'était après Pim avant Bom comment c'est en disant comme je l'entends qu'un jour tout ça chaque mot toujours comme je l'entends en moi qui fut dehors quaqua notre voix à tous quand ça cesse de haleter et le murmure dans la boue à la boue qu'un jour revenu à moi à Pim pourquoi on ne sait pas on ne dit pas du rien revenu du rien la surprise d'être seul plus de Pim moi seul dans le noir la boue fin enfin de la deuxième comment c'était avec Pim plus enfin que la troisième et dernière comment c'était après Pim avant Bom comment c'est voilà comment c'était avec Pim

3

ici donc je cite toujours troisième partie comment c'était après Pim comment c'est troisième enfin et dernière vers laquelle plus légers que l'air un instant floc retombés tant de vœux soupirs prières sans paroles depuis le premier mot je l'entends le mot comment

plus de temps je le dis comme je l'entends le murmure dans la boue je baisse baisse c'est trop dire plus de tête imagination à bout plus de souffle

l'énorme passé même récent même lointain des très vieux le vieil aujourd'hui ou encore l'oiseau-mouche dit l'instant qui passe tout ça

l'énorme passé l'oiseau-mouche il vient de gauche on le suit des yeux vif demi-cercle destrorsum puis répit puis le suivant puis puis ou on les ferme préférable tête baissée ou non sous l'orage petits blancs de bons moments brefs noirs puis vrrrom le suivant tout ça tout ça presque blanc qui fut si orné quelques traces c'est tout étant donné qui moi toujours plus ou moins peu de chose peu là mais là peu mais là obligé

avant Pim bien avant avec Pim des temps énormes des sortes de pensées même famille doutes divers émotions même allant jusqu'au pleur motions aussi et mouvements tant des parties que de l'ensemble comme lorsqu'il s'en allait le tout chercher le vrai home

là donc plus ou moins jadis plus naguère moins très peu tous ces temps derniers ce sont les derniers extrêmement peu presque pas quelques secondes par-ci par-là de quoi marquer une vie plusieurs des croix partout traces ineffaçables

tout ça presque blanc rien à en sortir presque rien rien à y mettre c'est ça le plus triste ce serait ça l'imagination qui décline étant au plus bas ce qu'on appelle baisser on est tenté

ou bien monter ciel enfin que là au fond

ou enfin ne pas bouger ça se défend moitié sous la boue moitié hors

plus de tête en tout cas presque plus plus de cœur juste assez pour qu'on en soit content un peu content d'être si peu là de baisser un peu enfin étant au plus bas un peu gai moins on est là plus on est gai quand on est là moins de pleurs un peu moins quand on est là les mots manquent tout manque à peu près moins de pleurs faute de mots faute d'aliment même la naissance elle manque tout ça ça rend gai ça doit être ça tout ça un peu plus gai

comment c'était ça manque avant Pim avec Pim tout perdu presque tout plus rien presque rien heureusement que c'est fait plus que depuis comment c'est depuis Pim un temps énorme avant Pim avec Pim des temps énormes quelques minutes par-ci par-là additionnées énorme l'éternité même ordre de grandeur rien dedans presque rien

serrer les yeux je cite toujours pas les bleus les autres d'autres derrière voir quelque chose quelque part après Pim plus que ça le souffle dans la tête plus qu'une tête rien dedans presque rien que le souffle han han cent à la minute le retenir qu'il se retienne dix secondes quinze secondes entendre quelque chose tâcher d'entendre quelques vieux mots après Pim comment c'était comment c'est vite

Pim vite après Pim avant qu'il s'efface jamais été que moi moi Pim comment c'était avant moi avec moi après moi comment c'est vite

un sac à la bonne heure couleur de boue dans la boue vite dire que c'est un sac couleur du milieu il l'a épousée l'avait toujours c'est l'un ou l'autre ne pas chercher autre chose ce que ça pourrait bien être d'autre tant de choses dire sac vieux mot premier à venir une syllabe c à la fin ne pas en chercher d'autres tout s'effacerait un sac ça ira le mot la chose c'est dans les choses possibles dans ce monde si peu possible oui monde que peut-on souhaiter de plus une chose possible voir une chose possible la voir la nommer la nommer la voir assez repos je reviendrai obligé un jour

cesser de haleter dire ce qu'on entend le voir un bras couleur de boue sortant du sac vite dire un bras puis un autre dire un autre bras le voir raide tendu comme trop court pour atteindre ajouter cette fois une main doigts tendus écartés ongles monstres dire voir tout ça

un corps quelle importance dire un corps voir un corps tout le revers blanc à l'origine quelques taches restées claires gris des cheveux ils poussent encore assez une tête dire une tête avoir vu une tête tout vu tout le possible un sac des vivres un corps entier en vie oui qui vit cesser de haleter que ça cesse de haleter dix secondes quinze secondes entendre ce souffle gage de vie l'entendre dire dire l'entendre bon haleter de plus belle

de loin en loin comme selon le vent mais pas un souffle sec et faible claquet de Dieu vieux moulin tourbillonnant à vide ou selon l'humeur comme si elle changeait grands ciseaux de la vieille noire plus vieille que le monde clic clac clic clac deux fils à la seconde cinq toutes les deux jamais le mien

c'est tout je n'entendrai plus rien ne verrai plus rien si pour finir quelques vieux mots encore il en faut encore moins vieux un peu que du temps de Pim deuxième partie finis ceux-là jamais été mais vieux un temps énorme cette voix ces voix comme portées par tous les vents mais pas un souffle une autre antiquité un peu plus récente cesser de haleter que ça cesse dix secondes quinze secondes quelques vieux mots par-ci par-là les ajouter les uns aux autres faire des phrases

quelques vieilles images toujours les mêmes plus de bleu fini le bleu jamais été le sac les bras le corps la boue le noir cheveux et ongles qui vivent tout ça

ma voix si l'on veut enfin revenue une voix revenue enfin dans ma bouche ma bouche si l'on veut une voix enfin dans le noir la boue on n'a pas idée de ces durées

ce souffle le retenir qu'il se retienne une fois deux fois par jour et nuit le temps que ça fait pour ceux sous qui et au-dessus et tout autour la terre tourne et tout tourne qui courent tant d'un but à l'autre que sans ce souffle je croirais entendre leurs pas le retenir qu'il se retienne dix secondes quinze secondes tâcher d'entendre de ce vieux conte quaqua de toutes parts puis en moi des bribes tâcher d'entendre quelques bribes deux trois chaque fois par jour et nuit les ajouter les unes aux autres faire des phrases d'autres phrases les dernières comment c'était après Pim comment c'est quelque chose là qui ne va pas fin de la troisième et dernière

cette voix ces voix comment savoir non pas que ce fût un chœur une seule mais quaqua ça veut dire de toutes parts des haut-parleurs possible la technique mais attention

attention jamais deux fois la même ou alors le temps des temps énormes vieillie méconnaissable non car souvent plus fraîche plus forte après qu'avant à moins que la maladie les malheurs quelquefois ça passe on est mieux moins mal après qu'avant

ou alors enregistrements sur ébonite ou similaire toute une vie des générations sur ébonite on peut l'imaginer rien ne vous en empêche mélanger changer l'ordre naturel jouer avec ça

ou enfin la même et moi ma faute manque d'attention de mémoire les temps qui se mélangent dans ma tête tous les temps avant pendant après des temps énormes

et toujours la même chose les mêmes choses possibles impossibles ou moi qui ne retrouve que ça quand ça cesse de haleter n'entends que ça les mêmes choses quatre cinq quelques ornements la vie là-haut petites scènes à moi qu'elle les disait de moi à qui d'autre de qui d'autre serrer les yeux tâcher de voir un autre à qui de qui à qui de moi de qui à moi ou encore un troisième serrer les yeux tâcher de voir un troisième mélanger tout ça

quaqua notre voix à tous quels tous tous ceux ici avant moi et à venir solitaires dans cette souille ou collés les uns aux autres tous les Pim bourreaux promus victimes passées si jamais ça passe et futures ça c'est sûr plus que n'en défit jamais la terre sa lumière ces tous-là

d'elle que je tiens que je tenais le peu qui restait tiens le peu qui reste de comment c'était avant Pim avec Pim après Pim et jusque comment c'est pour ça aussi elle trouvait des mots

pour comment ce serait quand je ne l'aurais plus avant d'avoir la mienne ce vaste trou-là et quand je l'aurais enfin ce vaste laps-là comment ce serait alors quand j'aurais la mienne et quand je ne l'aurais plus comment ce serait alors

le moment où sans le pouvoir j'aurais à dire maman mamour entendre ces bruits-là tromper ma soif de labiales à partir de là des mots pour ce moment-là et suivants un temps énorme mouvements pour rien du bas du visage aucun son aucun mot puis même pas plus la peine plus compter là-dessus quand c'est l'unique espoir chercher autre chose comment ce serait alors des mots pour ça

d'elle tout ça de ce si peu le peu qui reste je me suis nommé ça cesse de haleter et je suis un instant ce vieux peu toujours moindre que je crois entendre d'une voix ancienne quaqua à nous tous tant que nous finirons bien par avoir été quelque chose là qui ne va pas

soit selon le degré de gaîté qu'il fait plus que sur la terre depuis l'âge d'or là-haut dans la lumière les feuilles tombées mortes

il en est qui flottent à la branche jusqu'au renouveau noires mortes pavoisant dans la verte connerie certaines font dans cet état deux printemps un été et demi trois quarts

avant Pim le voyage première partie jambe droite bras droit pousse tire dix mètres quinze mètres halte bref somme une sardine ou similaire langue dans la boue quelques images mots muets ne pas tomber redépart pousse tire tout ça première partie avant Pim mais avant

une autre histoire laisser dans l'ombre non la même histoire pas deux histoires laisser dans l'ombre quand même comme le reste un peu plus quelques mots quand même quelques vieux mots comme sur le reste cesser de haleter que ça cesse

tâcher d'entendre quelques vieux mots par-ci par-là les coller ensemble une phrase quelques phrases tâcher de voir comment ça pouvait bien être pas avant Pim ça c'est fait première partie avant ça encore un temps énorme

deux on était donc deux main sur mes fesses à cheval on était venu Bem Pem une syllabe un m à la fin le reste égal Bem était venu se coller contre moi voir plus tard Pim et moi j'étais venu me coller contre Pim la même chose sauf que moi Pim Bem moi Bem à gauche moi à droite au sud

Bem venu se coller contre moi là où je gisais abandonné me donner un nom son nom me donner une vie me faire parler d'une vie là-haut que j'aurais eue dans la lumière avant de tomber tout ce qui a été dit une deuxième partie une seconde deuxième avant la première sauf que moi Pim Bem moi Bem à gauche moi à droite au sud je l'entends le murmure à la boue

donc ensemble vie commune moi Bem lui Bem nous Bem un temps énorme jusqu'au jour entendre jour le répéter le murmurer ne pas avoir honte comme s'il y avait une terre un soleil des moments où il fait moins noir plus noir là rire noir clair ces mots-là chaque fois qu'ils arrivent nuit jour ombre lumière cette famille-là envie de rire chaque fois non quelquefois trois fois sur dix quatre sur quinze cette proportion essaie quelquefois même proportion y arrive quelquefois même proportion

clair noir cette famille-là sur cent fois qu'ils arrivent trois quatre rires réussis de ceux qui secouent un instant ressuscitent un instant puis laissent pour plus mort qu'avant

jusqu'au jour donc le murmurer ne pas avoir honte ne pas rire où à sa surprise quelque chose là Bem seul dans le noir la boue fin pour lui de cette partie pour moi aussi à ma surprise aussi quelque chose là qui ne va pas qui m'éloigne jambe droite bras droit pousse tire dix mètres quinze mètres vers Pim long long voyage

temps d'oublier tout perdre tout ignorer d'où je viens où je vais fréquentes haltes brefs sommes une sardine langue dans la boue reperte de la parole si chèrement réacquise quelques images ciels homes petites scènes demi-chutes hors de l'espèce brefs mouvements du bas du visage aucun son perte du beau nom de Bem première partie avant Pim comment c'était un temps énorme c'est fait

c'est venu c'est dit murmuré dans la boue comment c'était pas avant Pim ça c'est fait première partie avant ça encore un temps énorme très joli seulement pas comme ça ça ne va pas quelque chose là qui ne va pas

le sac c'est le sac Pim est parti sans sac il m'a laissé son sac j'ai donc laissé mon sac à Bem je laisserai mon sac à Bom je quitterai Bom sans sac j'ai quitté Bem sans sac pour aller vers Pim c'est le sac

Bem j'étais donc avec Bem avant d'aller vers Pim j'ai donc quitté Bem sans sac et cependant ce sac que j'avais en allant vers Pim première partie ce sac que j'avais

ce sac donc que je n'avais pas en quittant Bem et que j'avais en allant vers Pim sans savoir que j'avais quitté quelqu'un allais vers quelqu'un ce sac donc que j'avais je l'avais donc trouvé de la raison il m'en reste ce sac sans quoi pas de voyage

un sac il le faut des vivres quand on voyage nous l'avons vu dû voir première partie il en faut c'est réglé nous sommes réglés ainsi

parti donc sans sac j'avais un sac je l'avais donc trouvé sur mon chemin voilà la difficulté aplanie nous laissons nos sacs à ceux qui n'en ont pas besoin nous prenons leurs sacs à ceux qui vont en avoir besoin nous partons sans sac nous en trouvons un nous pouvons voyager un sac que si l'on mourait ici on dirait d'un mort enfin l'ayant lâché au moment suprême puis disparu sous la boue mais puisque non un simple sac sans plus au toucher un petit à charbon cinquante kilos jute humide des vivres dedans

un simple sac donc sans plus qu'à peine partis sans vivres ni idée d'en trouver ni souvenir d'en avoir eu ni idée d'en avoir besoin nous trouvons à peine partis dans le noir la boue pour un voyage qui sans ça serait bref et ne l'est pas un temps énorme et perdons peu avant l'arrivée avec les vivres inutilisés nous l'avons vu première partie comment c'était avant Pim

plus de sacs ici donc que de monde infiniment si nous voyageons infiniment et quelle infinie perte sans profit voilà cette difficulté aplanie quelque chose là qui ne va pas

à l'instant où je quitte Bem un autre quitte Pim si nous sommes cent mille à cet instant précis cinquante mille départs cinquante mille abandonnés pas de soleil pas de terre rien qui tourne le même instant toujours partout

à l'instant où je rejoins Pim un autre rejoint Bem nous sommes réglés ainsi notre justice le veut ainsi cinquante mille couples de nouveau au même instant partout le même séparés par le même espace c'est mathématique c'est notre justice dans cette fange où tout est pareil chemins allures jambe droite bras droit pousse tire

aussi longtemps que moi avec Pim l'autre avec Bem cent mille gisants collés deux par deux un temps énorme rien ne bouge sauf côté bourreaux ceux dont c'est le tour de loin en loin un bras droit griffer l'aisselle pour la chanson tailler les inscriptions enfoncer l'ouvre-boîte marteler le rein tout le nécessaire

à l'instant où Pim me quitte et va vers un autre Bem quitte l'autre et vient vers moi je me place à mon point de vue migration de vers de vase alors ou à queue des latrines frénésie scissipare les jours de grande gaîté

à l'instant où Pim rejoint l'autre reformer avec lui le seul couple qu'avec celui qu'il forme avec moi il forme Bem me rejoint reformer avec moi le seul couple qu'avec celui qu'il forme avec l'autre il forme

illumination ici Bem est donc Bom ou Bom Bem et la voix quaqua d'où je tiens ma vie ces bribes de vie en moi quand ça cesse de haleter de trois choses l'une

là où selon moi elle disait Bem en parlant de comment c'était avant le voyage première partie et Bom en parlant de comment ce sera après l'abandon troisième partie et dernière elle disait en réalité elle disait en réalité dans l'un cas comme dans l'autre soit Bem uniquement soit uniquement Bom

ou elle disait en réalité tantôt Bem tantôt Bom par distraction ou inadvertance en croyant ne pas varier je la personnifie elle se personnifie

ou enfin elle passait de propos délibéré de l'un à l'autre suivant qu'elle parlait de comment c'était avant le voyage ou de comment ce sera après l'abandon n'ayant pas compris que Bem et Bom ne pouvaient faire qu'un

qu'on avait beau le souhaiter sous des aspects nouveaux celui dont elle m'annonçait l'arrivée jambe droite bras droit pousse tire dix mètres quinze mètres

que c'était forcément l'autre l'ancien dont elle me disait que je l'avais subi puis quitté pour aller vers Pim comme Pim moi subi puis quitté pour aller vers son autre à lui

pour non sans le savoir tout ici sans le savoir notre justice s'en aller jamais quitter aller jamais aller vers

sans le savoir que chacun quitte toujours le même va toujours vers le même perd toujours le même va vers celui qui le quitte quitte celui qui vient vers lui notre justice des millions des millions nous sommes des millions et nous sommes trois je me place à mon point de vue Bem est Bom Bom Bem disons Bom c'est mieux Bom donc moi et Pim moi au milieu

ainsi en moi je cite toujours quand ça cesse de haleter bribes de cette ancienne voix sur elle ses lapsus ses exactitudes sur nous les millions que nous sommes les trois nos couples voyages et abandons sur moi tout seul je cite toujours mes voyages imaginaires frères imaginaires en moi quand ça cesse de haleter qui fut dehors quaqua de toutes parts des bribes je les murmure

une voix que si j'en avais une j'aurais pu croire la mienne qu'au moment où je l'entends je cite toujours l'entendent aussi et celui que Bom a quitté pour venir vers moi et celui pour aller vers qui Pim m'a quitté et si nous sommes un million les 499 997 autres abandonnés

la même voix les mêmes choses aux noms propres près et encore deux suffisent chacun attend sans nom son Bom va sans nom vers son Pim

Bom à l'abandonné pas moi Bom toi Bom nous Bom mais moi Bom toi Pim moi à l'abandonné pas moi Pim toi Pim nous Pim mais moi Bom toi Pim quelque chose là qui ne va pas du tout ainsi éternellement je cite toujours quelque chose là qui a sauté ainsi éternellement tantôt Bom tantôt Pim selon qu'on est à gauche ou à droite au nord ou au sud bourreau ou victime ces mots sont trop forts bourreau toujours du même victime toujours du même et tantôt seul voyageur abandonné tout seul sans nom tous ces mots trop forts presque tous un peu trop forts je le dis comme je l'entends

ou un seul un seul nom le beau nom de Pim et j'entends mal ou la voix dit mal et là où j'entends Bom ou qu'elle dit Bom en moi quand ça cesse de haleter la bribe Bom qui fut dehors quaqua de toutes parts

là où j'entends ou qu'elle dit en effet qu'avant d'aller vers Pim première partie j'étais avec Bom comme Pim avec moi deuxième partie

ou qu'en ce moment troisième partie jambe droite bras droit pousse tire Bom vers moi comme moi vers Pim première partie

c'est Pim qu'il faut entendre Pim qu'il fallait dire que j'étais avec Pim avant d'aller vers Pim première partie et qu'en ce moment troisième partie Pim vers moi comme moi vers Pim première partie jambe droite bras droit pousse tire dix mètres quinze mètres

donc un million si nous sommes un million un million de Pim tantôt immobiles deux par deux agglutinés pour les besoins du tourment trop fort cinq cent mille petits tas couleur de boue tantôt mille mille solitaires sans nom moitié abandonnés moitié abandonnant

et trois si nous sommes trois quand en moi quand ça cesse de haleter cette voix qui fut dehors quaqua de toutes parts quand j'entends cette voix qui parle de millions de trois que si j'en avais une je cite un peu de cœur un peu de tête je pourrais croire la mienne seul abandonné je suis seul à l'entendre

seul à murmurer de millions de trois de nos voyages couples et abandons des noms que nous nous donnons et redonnons

toutes ces bribes seul à les entendre seul à les murmurer dans la boue à la boue mes deux compagnons nous l'avons vu étant en marche celui qui vient vers moi et celui qui s'en éloigne quelque chose là qui ne va pas c'est-à-dire chacun dans sa première partie

ou dans sa cinquième ou dans sa neuvième ou dans sa treizième ainsi de suite

c'est juste

alors que la voix nous l'avons vu apanage de la troisième ou de la septième ou de la onzième ou de la quinzième ainsi de suite tout comme le couple de la deuxième ou de la quatrième ou de la sixième ou de la huitième ainsi de suite c'est juste

à condition de préférer l'ordre proposé ici à savoir d'abord le voyage ensuite le couple enfin l'abandon à celui à ceux qu'on obtiendrait en commençant par l'abandon pour aboutir au voyage en passant par le couple ou en commençant par le couple pour aboutir au

au couple

en passant par l'abandon

ou par le voyage

c'est juste

quelque chose là qui ne va pas

et si au contraire je suis seul alors plus de problème solution que sans un sérieux effort d'imagination il semble difficile d'éviter

comme quoi par exemple notre parcours une courbe fermée où si nous portons les numéros allant de 1 à 1 000 000 le numéro 1 000 000 en quittant son bourreau le numéro 999 999 au lieu de se lancer dans le désert vers une victime inexistante se dirige vers le numéro 1

et où le numéro 1 délaissé par sa victime le numéro 2 ne reste pas éternellement sevré de bourreau puisque ce dernier nous l'avons vu en la personne du numéro 1 000 000 arrive de son pas le meilleur jambe droite bras droit pousse tire dix mètres quinze mètres et trois si nous ne sommes que trois et ne portons donc que les numéros allant de 1 à 3 quatre plutôt c'est mieux on voit mieux si nous ne sommes que quatre et ne portons donc que les numéros allant de 1 à 4

alors deux places seulement aux extrémités de la plus grande corde soit a et b pour les quatre couples les quatre abandonnés

deux pistes seulement d'une demi-orbite chacune soit comment dire ab et ba pour les voyageurs

que moi par exemple je porte le numéro 1 ce serait normal et me trouve retrouve à un moment donné abandonné à a au bout de la grande corde et supposition qu'on tourne destrorsum

alors avant de me retrouver de nouveau au même point et sensiblement dans le même état je serai successivement

victime du 4 à a en voyage par ab bourreau du 2 à b abandonné de nouveau mais cette fois à b victime de nouveau du 4 mais cette fois à b en voyage de nouveau mais cette fois par ba bourreau du 2 de nouveau mais cette fois à a et enfin de nouveau abandonné à a et en passe de recommencer

c'est juste

pour chacun d'entre nous donc si nous sommes quatre avant que soit rétablie la situation initiale deux abandons deux voyages quatre accouplements dont deux à gauche en bourreau toujours du même pour moi le 2 et deux à droite en victime toujours du même pour moi le 4

quant au 3 je ne le connais pas ni par conséquent lui moi comme ne se connaissent pas le 2 et le 4

pour chacun d'entre nous donc si nous sommes quatre l'un d'entre nous reste l'inconnu ou celui qu'on connaît seulement de réputation c'est encore possible

moi je fréquente le 4 et le 2 en tant que victime et bourreau respectivement et le 2 et le 4 fréquentent le 3 en tant que bourreau et victime respectivement

possible donc en principe qu'au numéro 3 d'une part par le truchement de ma victime dont il est la victime et de l'autre par celui de mon bourreau dont il est le bourreau possible donc je répète je cite qu'au numéro 3 je ne sois pas totalement inconnu sans que nous ayons jamais eu l'occasion de nous rencontrer

similairement si nous sommes un million chacun d'entre nous ne connaît personnellement que son bourreau et sa victime soit celui qui le suit immédiatement et celui qui immédiament le précède et n'est personnellement que d'eux connu

mais peut très bien en principe connaître de réputation les 999 997 autres que de par sa place dans la ronde il n'a jamais l'occasion de rencontrer

et de réputation d'être d'eux connu

prenons vingt numéros qui se suivent

mais n'importe lesquels n'importe lesquels ça n'a pas d'importance

814 326 à 814 345

le 814 327 peut parler mot impropre les bourreaux étant muets nous l'avons vu deuxième partie du 814 326 au 814 328 qui peut en parler au 814 329 qui peut en parler au 814 330 et ainsi de suite jusqu'au 814 345 qui de cette façon peut connaître le 814 326 de réputation

similairement le 814 326 peut connaître de réputation le 814 345 le 814 344 en ayant parlé au 814 343 et celui-ci au 814 342 et celui-ci au 814 341 et ainsi de suite jusqu'au 814 326 que de cette façon peut connaître le 814 345 de réputation

rumeur transmissible à l'infini dans les deux sens

de gauche à droite par les confidences du bourreau à sa victime qui les répète à la sienne de droite à gauche par les confidences de la victime à son bourreau qui les répète au sien

tous ces mots je le répète je cite encore victimes bourreaux confidences répète cite je et les autres tous ces mots trop forts je le dis encore comme je l'entends encore le murmure encore à la boue seul l'infini à notre échelle

mais question à quoi bon

car si le 814 336 décrit au 814 335 le 814 337 et au 814 337 le 814 335 il ne fait en définitive que se décrire soi-même tel que ses deux interlocuteurs le connaissent depuis toujours

alors à quoi bon

d'ailleurs la chose semble impossible

car le 814 336 nous l'avons vu à son arrivée auprès du 814 337 il y a longtemps qu'il ne sait plus rien du 814 335 comme s'il n'avait jamais été et à l'arrivée auprès de lui du 814 335 nous l'avons vu aussi il y a longtemps qu'il ne sait plus rien du 814 337 un temps énorme

tant il est vrai qu'ici on ne connaît son bourreau que le temps de le subir sa victime que celui d'en jouir et encore

et ces mêmes couples qui éternellement se reconstituent d'un bout à l'autre de cette immense procession que c'est toujours à la millionième fois ça se laisse concevoir comme à l'inconcevable première deux étrangers qui s'unissent pour les besoins du tourment

et quand sur les imprévisibles fesses pour la millionième fois la main tâtonnante se pose que c'est pour la main les premières fesses pour les fesses la première main

quelque chose là qui ne va pas

tant tout cela ça cesse de haleter je l'entends je le murmure à la boue tant tout cela est vrai

donc pas de connaissance de la seconde main et quant à l'autre dite personnelle acquise par fréquentation celle que de son bourreau d'une part de sa victime de l'autre tout un chacun possède quant à celle-là

lorsqu'on songe au couple que nous fîmes Pim et moi deuxième partie et que nous referons sixième partie dixième quatorzième ainsi de suite chaque fois pour l'impensable première lorsqu'on y songe

ce que nous fûmes alors chacun pour soi et l'un pour l'autre

collés ensemble à ne faire qu'un seul corps dans le noir la boue comme à chaque instant on cessait et n'était plus là ni pour soi ni pour l'autre des temps énormes

et quand on revenait passer encore un moment ensemble quand on y songe

souffrance cruauté si petites et brèves

le petit besoin d'une vie d'une voix de qui n'a ni l'une ni l'autre

la voix extorquée quelques mots la vie parce que ça crie c'est la preuve il n'y a qu'à enfoncer bien profond un petit cri tout n'est pas mort on boit on donne à boire bonsoir

c'était je cite de bons moments quelque part de bons moments quand on y songe

Pim et moi deuxième partie et Bom et moi quatrième partie ce que ça sera

dire après ça qu'on se connaît personnellement même à ce moment-là

collés l'un à l'autre à ne faire qu'un seul corps dans le noir la boue

immobiles à part le bras droit qui s'agite brièvement de loin en loin tout le nécessaire

dire après ça que j'ai connu Pim que Pim m'a connu et Bom et moi que nous nous connaîtrons même fugitivement on peut le dire comme on peut dire que non c'est selon ce qu'on entend

c'est non je regrette ici personne ne connaît personne ni personnellement ni autrement c'est le non qui sort je le murmure

et non encore je regrette encore ici personne ne se connaît c'est l'endroit sans connaissance c'est sans doute ce qui fait son prix

qu'à tourner en rond nous soyons donc quatre ou un million nous sommes quatre à nous ignorer un million à nous ignorer les uns les autres et chacun soi mais ici je cite toujours nous ne tournons pas en rond

ça c'est là-haut dans la lumière où l'espace leur est compté ici la ligne droite la ligne droite vers l'est que nous soyons quatre ou un million la ligne droite vers l'est c'est curieux alors qu'à l'ouest la mort en général

donc ni quatre ni un million

ni dix millions ni vingt millions ni aucun nombre fini pair ou impair si élevé fût-il à cause de notre justice qui veut que personne fussions-nous vingt millions que pas un seul d'entre nous ne soit défavorisé

pas un seul privé de bourreau comme le serait le numéro 1 pas un seul de victime comme le serait le numéro 20 000 000 en supposant ce dernier à la tête de la procession qui se déplace nous l'avons vu de gauche à droite ou si l'on veut d'ouest en est

et que ne puisse jamais s'offrir au regard de

de qui

celui qui fournit les sacs

possible

à son regard le spectacle d'une part d'un seul d'entre nous vers qui personne ne vient jamais et de l'autre d'un seul autre qui ne va jamais vers personne ce serait une injustice ça c'est là-haut dans la lumière

soit en clair je cite ou bien je suis seul et plus de problème ou bien nous sommes en nombre infini et plus de problème non plus

hormis celui de pouvoir se représenter mais ça doit pouvoir se faire une procession en ligne droite sans queue ni tête dans le noir la boue avec tout ce que ça comporte d'infinitudes variées

on n'y peut rien en tout cas on est dans la justice je n'ai jamais entendu dire le contraire

avec ça d'une lenteur extrême la procession on parle maintenant d'une procession se faisant par bonds ou saccades à la manière de la merde à se demander les jours de grande gaîté si nous ne finirons pas l'un après l'autre ou deux par deux par être chiés à l'air libre à la lumière du jour au régime de la grâce

lenteur dont seuls les chiffres même arbitraires peuvent donner une faible idée

en comptant je cite vingt ans pour le voyage et sachant d'autre part pour l'avoir entendu que les quatre phases par lesquelles nous passons les deux sortes de solitude les deux sortes de compagnie par lesquelles bourreaux abandonnés victimes voyageurs nous passons et repassons étant réglés ainsi sont de durée égale

sachant d'autre part toujours par la même faveur que le voyage se fait par étapes dix mètres quinze mètres à raison disons c'est raisonnable d'une étape par mois ce mot ces mots mois ans je les murmure

quatre par vingt quatre-vingt douze et demi par douze cent cinquante par vingt trois mille divisé par quatre-vingt trente-sept et demi trente-sept à trente-huit mètres par an nous avançons

c'est juste

de gauche à droite nous avançons chacun avance et le tout avance d'ouest en est bon an mal an dans le noir la boue le tourment la solitude à la vitesse de trente-sept à trente-huit disons quarante mètres par an

voilà la faible idée de notre lenteur que donnent ces chiffres dont il suffit d'admettre et ça doit pouvoir se faire d'une part celui affecté à la durée du voyage et de l'autre ceux éxprimant la longueur et la fréquence de l'étape pour se faire de notre lenteur cette faible idée

notre lenteur la lenteur de notre procession de gauche en est dans le noir la boue

à l'image dans sa discontinuité des voyages dont elle est la somme faits d'étapes de haltes et de ces étapes dont le voyage est la somme

où nous rampons l'amble jambe droite bras droit pousse tire plat ventre malédictions muettes jambe gauche bras gauche pousse tire plat ventre malédictions muettes dix mètres quinze mètres halte

tout ça qui fut dehors quaqua de toutes parts en moi quand ça cesse de haleter tout ça tout ça plus bas plus faible mais audible encore moins clair mais le sens en moi quand ça cesse de haleter

et qu'à vrai dire tout ici discontinu voyage images tourment voire solitude troisième partie où une voix parle puis se taît quelques bribes puis plus rien sauf le noir la boue tout discontinu sauf le noir la boue à l'image même de cette voix dix mots quinze mots long silence dix mots quinze mots long silence longue solitude d'abord dehors quaqua de toutes parts un temps énorme puis en moi quand ça cesse de haleter des bribes

d'elle que je tiens tout comment c'était avant Pim avant ça encore avec Pim après Pim comment c'est des mots pour ça aussi comment ce sera des mots pour ça bref ma vie des temps énormes

j'entends dire moi encore le murmure dans la boue et suis encore

le voyage que j'ai fait dans le noir la boue en ligne droite le sac au cou jamais désespécé tout à fait et j'ai fait ce voyage

puis autre chose et je ne l'ai pas fait puis de nouveau et je l'ai fait de nouveau

et Pim comme je l'ai trouvé fait souffrir fait parler et perdu et tout ça tant que ça dure j'ai eu tout ça quand ça cesse de haleter

et comme nous sommes trois quatre un million et je suis là toujours été là avec Pim Bom un autre 999 997 autres à voyager seul croupir seul martyriser et être martyrisé oh modérément distraitement un peu de sang quelques cris quelques mots la vie là-haut dans la lumière un peu de bleu petites scènes pour la soif pour la paix et comme nous ne pouvons n'être que quatre qu'un million et je suis là toujours été là avec Pim Bom d'innombrables autres dans une procession sans fin ni commencement se déplaçant paresseusement de gauche à droite ligne droite vers l'est c'est bizarre dans le noir la boue en sandwich entre bourreau et victime et comme ces mots ne sont pas assez faibles la plupart pas tout à fait

ou seul et plus de problème jamais eu de Pim jamais de Bom jamais de voyage que le noir la boue le sac peut-être il semble constant aussi et cette voix qui ne sait pas ce qu'elle dit ou que j'entends mal que si j'en avais une un peu de tête un peu de cœur je pourrais croire la mienne d'abord dehors quaqua de toutes parts puis en moi quand ça cesse de haleter bas maintenant à peine un souffle

tout ça tout ça tant que ça dure toutes ces sortes de vie quand ça cesse de haleter j'ai eu tout ça c'est selon ce qu'on entend connu tout ça fait et souffert selon au présent aussi et au futur ça c'est sûr il n'y a qu'à entendre quand ça cesse de haleter dix secondes quinze secondes toutes ces sortes de vie des bribes les murmurer à la boue

et comme enfin à présent ça halète plus fort de plus en plus animal qui veut de l'air encore et l'arrêter encore que ça cesse encore un halètement pareil cette voix l'entendre encore qui fut dehors quaqua de toutes parts quelques bribes en moi encore quand ça cesse de haleter comme ce ne sera bientôt sans doute plus possible

à ce moment-là je cite toujours à partir de là ce moment-là et suivants n'étant que cette voix ces bribes ne serai plus rien enfin mais sans cesser pour si peu fin de la troisième partie et dernière elle doit être presque finie

ça oui un halètement dans le noir la boue à ça que ça aboutit le voyage le couple l'abandon où tout se raconte le bourreau qu'on aurait eu puis perdu le voyage qu'on aurait fait la victime qu'on aurait eue puis perdue les images le sac les petites histoires de là-haut petites scènes un peu de bleu infernaux homes

la voix quaqua de toutes parts puis dedans sous la petite voûte dans le petit caveau vide fermé huit faces d'une blancheur d'os s'il y avait de la lumière une flammette tout serait blanc dix mots quinze mots comme une errance quand ça cesse de haleter puis l'orage le souffle gage de vie troisième partie et dernière elle doit être presque finie

alors qu'on a sa vie et qu'on l'a eue les grands voyages et la compagnie de ses semblables perdus et fuis quand ça cesse de haleter à ça que ça aboutit un halètement dans le noir la boue rappelant certains rires sans en être un ou là que ça commence et alors la vie qu'on aura le bourreau qu'on aura le voyage qu'on fera la victime qu'on aura les deux les trois la vie qu'on a eue la vie qu'on a la vie qu'on aura

peu concevable cette dernière où au lieu de débuter en voyageur je débute en victime et au lieu de continuer en bourreau je continue en voyageur et au lieu de finir abandonné

au lieu de finir abandonné je finis en bourreau

il y manque l'essentiel on dirait

cette solitude où la voix la raconte seul moyen de la vivre

à moins qu'elle ne me l'apprenne la voix ma vie lors de cette autre solitude qu'est le voyage c'est-à-dire au lieu d'un premier passé d'un second passé et d'un présent un passé un présent et un futur quelque chose là qui ne va pas

rafraîchissantes alternances d'histoire de prophétie et de nouvelles du jour où j'apprends tour à tour c'est sans doute ce qui me conserve comment c'était ma vie on parle toujours de ma vie

comment c'était avant Pim comment c'était avec Pim comment c'est présente rédaction comment c'était avec Bom comment c'est comment ce sera avec Pim

comment c'est comment ce sera avec Bom comment ce sera avant Pim

comment c'était ma vie toujours avec Pim comment c'est comment ce sera avec Bom

impression fugitive je cite qu'à vouloir présenter en trois parties ou épisodes une affaire qui à bien y regarder en comporte quatre on risque d'être incomplet

qu'à cette troisième partie qui s'achève enfin devrait normalement s'ajouter une quatrième où l'on verrait entre mille autres choses peu ou pas visibles dans la présente rédaction cette chose

à ma place à moi en train d'enfoncer l'ouvre-boîte dans le cul de Pim Bom en train de l'enfoncer dans le mien

et au lieu des cris de Pim sa chanson et sa voix extorquée entendrait semblables à s'y méprendre les miens les miennes

mais nous ne verrons jamais Bom à l'œuvre haletant dans le noir la boue je resterai en souffrance la voix étant ainsi faite je cite que de notre vie totale elle ne dit que les trois quarts tantôt le premier deuxième et troisième tantôt le quatrième premier et deuxième

tantôt le troisième quatrième et premier tantôt le deuxième troisième et quatrième

quelque chose là qui ne va pas

et ainsi faite qu'elle répugne à ce que l'épisode couple même sous son double aspect figure deux fois dans la même communication comme ce serait le cas si au lieu de me faire débuter en voyageur présente rédaction ou encore en abandonné rédaction également possible elle me faisait débuter en bourreau ou en victime

à rectifier donc ce qui vient d'être dit ce à quoi elle parvient en disant à sa place que des quatre trois quarts de notre vie totale dont elle dispose deux seuls se prêtent à communication

les trois quarts dont le premier le voyage présente rédaction et les trois quarts dont le premier l'abandon rédaction également défendable

répugnance facile à admettre si l'on veut bien considérer que les deux solitudes celle du voyage et celle de l'abandon diffèrent sensiblement et par conséquent méritent d'être traitées à part et que les deux couples celui où je figure au nord en bourreau et celui où je figure au sud en victime composent le même spectacle exactement ayant déjà vécu en tant que bourreau aux côtés de Pim deuxième partie je n'ai donc pas à connaître d'une quatrième où je vivrais en tant que victime aux côtés de Bom il suffit que cet épisode soit annoncé Bom vient jambe droite bras droit pousse tire dix mètres quinze mètres

ou les émotions sensations tout à coup s'intéresser à ça et encore qu'est-ce que ça peut bien foutre je cite qui souffre léger flottement là léger tremblement

peut bien foutre qui souffre qui fait souffrir qui crie qui pour qu'on le laisse en paix dans la boue le noir bafouille dix secondes quinze secondes de soleil nuages terre mer taches bleues nuits claires et d'une créature debout ou pouvant l'être encore toujours la même imagination à bout cherchant un trou qu'on ne la voie plus au milieu de cette féerie qui boit cette goutte de pisse d'être et qui à son cadavre défendant la donne à boire du moment que c'est quelqu'un chacun à son tour comme le veut notre justice et que ça ne finit jamais elle veut ça aussi tous morts ou personne

donc deux rédactions possibles la présente et l'autre qui commencerait là où celle-ci finit enfin et par conséquent finirait par le voyage dans le noir la boue le voyageur jambe droite bras droit pousse tire venant à tel point de nulle part et de personne et à tel point s'y dirigeant qu'il voyage depuis toujours voyagera toujours traînant son sac où les vivres diminuent mais moins vite que l'appétit

que de la présente communication donc connaissance soit prise à l'envers et qu'une fois parcourue de gauche à droite le cours en soit remonté de droite à gauche rien ne s'y oppose

à condition que par un effort d'imagination l'épisode du couple demeuré central soit rectifié comme il convient

quelque chose là qui ne va pas

tout ça qui fut dehors quand ça cesse de haleter des bribes en moi dix secondes quinze secondes tout ça plus bas plus faible moins clair mais le sens en moi quand ça s'apaise le souffle on parle d'un souffle gage de vie quand ça s'apaise tel un dernier dans la lumière puis reprend cent dix cent quinze à la minute quand ça s'apaise dix secondes quinze secondes

c'est alors que je l'entends ma vie ici une vie quelque part que j'aurais eue ai encore aurai encore des bribes bout à bout un temps énorme une vieille histoire ma vieille vie chaque fois que Pim me quitte jusqu'à ce que Bom me retrouve elle est là

des mots quaqua puis en moi quand ça cesse de haleter des bribes tout bas cette vieille vie mêmes mots mêmes bribes des millions de fois chaque fois la première comment c'était avant Pim avant ça encore avec Pim après Pim avant Bom comment c'est comment ce sera tout ça des mots pour tout ça en moi je les entends les murmure

ma vie dix secondes quinze secondes c'est alors que je l'ai la murmure c'est mieux plus logique brefs mouvements du bas du visage avec murmure dans la boue

d'une voix ancienne mal venue mal entendue murmure mal quelques mauvaises bribes pour Kram qui écoute Krim qui note ou Kram seul un seul suffit Kram seul témoin et scribe ses feux qui m'éclairent Kram avec moi penché sur moi jusqu'à la limite d'âge puis son fils son petit-fils ainsi de suite

avec moi quand je voyage avec moi avec Pim avec moi abandonné troisième partie et dernière avec moi avec Bom d'âge en âge leurs feux qui m'éclairent

leurs calepins où tout est noté le peu qu'il y a à noter mes faits mes gestes mon murmure dix secondes quinze secondes troisième partie et dernière présente rédaction

ma vie une voix dehors quaqua de toutes parts des mots des bribes puis rien puis d'autres d'autres mots d'autres bribes les mêmes mal dites mal entendues puis rien un temps énorme puis en moi dans le caveau blancheur d'os des bribes dix secondes quinze secondes mal entendues mal murmurées mal entendues mal notées ma vie entière balbutiement six fois écorché

ça cesse de haleter je l'entends ma vie je l'ai la murmure c'est mieux plus logique pour Kram qui peut noter et si nous sommes sans nombre des Kram sans nombre si l'on veut ou un seul le mien mon Kram à moi il suffit ici où la justice règne une seule vie toute la vie pas deux vies notre justice Kram n'est pas des nôtres de la raison il m'en reste son fils fait son fils quitte la lumière Kram y remonte finir ses jours

ou pas de Kram ça aussi quand ça cesse de haleter une oreille quelque part là-haut et jusqu'à elle le murmure qui s'élève et si nous sommes sans nombre des murmures sans nombre tous pareils notre justice une seule vie partout mal dite mal entendue quaqua de toutes parts puis dedans quand ça cesse de haleter dix secondes quinze secondes dans la petite boîte toute blancheur d'os s'il y avait une lumière effiloque de vieux mots mal entendus mal murmurés ce murmure-là ces murmures-là

tombés dans la boue de nos bouches sans nombre qui s'élèvent là où il y a une oreille un esprit pour comprendre la possibilité de noter le souci de nous le désir de noter la curiosité de comprendre une oreille pour entendre même mal ces bribes d'autres bribes d'un antique cafouillis

immémoriale impérissable comme nous l'o-
reille on parle d'une oreille là-haut dans la
lumière et en ce cas pour nous les jours de
grande gaîté dans cette inlassable écoute de
l'inchangeante antienne le faible indice pour
nous d'un changement un jour voire d'une
fin dans l'honneur toujours la justice

ou pour laquelle comme pour nous chaque
fois la première et en ce cas pas de problème

ou de l'espèce fragile faite pour les merles
quand au jour la longue nuit cède enfin et à
la nuit un peu plus tard l'interminable jour
mais nous cette vie comment c'était comment
c'est comment très certainement ce sera pas
faite pour ça une seconde fois à la suivante
et en ce cas non plus pas de surprise à pré-
voir

tout ça entre autres choses tant d'autres mal
dites mal entendues mal retenues à seule fin
que soit possible blanc sur blanc trace de
tant et tant de mots mal donnés mal reçus
mal retrouvés mal rendus et à qui l'oreille
dans ces conditions le don de comprendre le
souci de nous les moyens de noter quelle
importance

à qui au préposé aux sacs possible aux sacs
et aux vivres ces mots encore le sac nous
l'avons vu

11 *

le sac nous l'avons vu étant plus à l'occasion pour nous qu'un simple garde-manger pouvant paraître plus par moments au besoin pour nous

ces mots de toujours à leur place de toujours fin de la troisième et dernière présente rédaction à la fin avant le silence le halètement sans trêve l'animal court d'air la bouche qui s'en entrouvre à la boue et la suite de toujours quand ça cesse de haleter dix mots quinze mots tout bas à la boue

et plus tard beaucoup plus tard quand ça cesse encore ces durées mon Dieu dix autres quinze autres en moi tout bas à peine un souffle puis de la bouche à la boue bref baiser du bout des lèvres faible baiser

comme quoi bout à bout derniers raisonnements ces sacs ces sacs il faut comprendre tâcher de comprendre des sacs sans nombre là avec nous pour nos voyages sans nombre sur cette piste étroite un mètre un et demi tous là en place déjà au départ comme nous le fûmes tous là en place à l'inconcevable départ de cette procession ça non impossible

impossible que nous ayons dû devions encore et toujours chacun d'entre nous à chaque voyage pour atteindre sa victime franchir des montagnes alors que notre progression nous l'avons vu si elle est malaisée le terrain le terrain il faut comprendre sans accidents aucune inégalité notre justice derniers raisonnements derniers chiffres le 777 777 quitte le 777 776 se dirige sans le savoir vers le 777 778 trouve aussitôt le sac sans quoi il n'irait pas loin s'en empare et poursuit son chemin le même qu'empruntera à son tour le 777 776 et à sa suite le 777 775 et ainsi de suite jusqu'à l'inimaginable 1 et où chacun à peine parti trouvera le sac indispensable à son voyage pour ne plus s'en séparer que peu avant l'arrivée nous l'avons vu

d'où si tous les sacs en place comme nous dès le début cette hypothèse-là une telle accumulation sur la piste voire concentrée dans un petit espace puisque nous l'avons vu chacun trouve le sien à peine son bourreau abandonné il le faut s'il veut atteindre sa victime si l'on veut qu'il l'atteigne

un tel amoncellement de sacs à l'entrée de la piste que toute progression impossible et qu'à peine donnée à la caravane l'impensable première impulsion elle se serait bloquée à jamais et figée dans l'injustice

alors de gauche à droite ou d'ouest en est l'atroce spectacle jusque dans la nuit noire des temps à venir du bourreau abandonné qui ne sera jamais victime puis un petit espace puis achevé son bref voyage aplatie au pied d'une montagne de vivres la victime qui ne sera jamais bourreau puis un grand espace puis un autre abandonné ainsi de suite infiniment car l'évidence même que barré de la sorte chaque tronçon de piste chaque segment de piste compris entre deux couples consécutifs deux abandonnés consécutifs selon qu'on l'envisage la piste on parle de la piste ses tronçons ses segments avant les départs ou pendant les voyages ça cesse encore et l'évidence même qu'obstrué de la sorte chaque tronçon chaque segment et pour les mêmes raisons notre justice

ainsi besoin pour la myriadième fois troisième partie et dernière présente rédaction à la fin avant le silence le halètement sans trêve afin que nous soyons possibles nos accouplements voyages et abandons besoin de quelqu'un pas des nôtres une intelligence quelque part un amour qui tout le long de la piste aux bons endroits au fur et à mesure de nos besoins dépose nos sacs

à dix mètres quinze mètres et à l'est des couples des abandonnés selon que l'introduction se fait avant les départs ou pendant les voyages ce sont là les bons endroits

et à qui vu notre nombre lieu d'attribuer des pouvoirs exceptionnels ou alors à ses ordres des aides sans nombre et à qui pour simplifier lieu quelquefois dix secondes quinze secondes d'attribuer l'oreille que Kram supprimé notre murmure réclame sous peine d'être fleur du désert et ce minimum d'intelligence sans quoi elle serait une oreille comme la nôtre et cet étrange souci de nous qu'on ne trouve pas parmi nous et le désir et les moyens de noter que nous n'avons pas

cumul d'emplois facile à admettre si l'on veut bien considérer que l'écoute d'un seul de nos murmures et sa rédaction sont l'écoute et la rédaction de tous

et soudain lumière sur les sacs à quel moment renouvelés à un moment quelconque de la vie à deux puisque nous l'avons vu nous le voyons c'est lorsque la victime voyage que murmure le bourreau abandonné ou alors la cloche et la procession c'est encore possible voilà une pauvre lumière

et à qui quelquefois lieu d'imputer cette voix quaqua à nous tous dont voici quand ça cesse de haleter dix secondes quinze secondes les dernières bribes tout à fait à s'être conservées dans quel état

le voilà donc ce pas des nôtres nous y voilà enfin qui s'écoute soi-même et en prêtant l'oreille à notre murmure ne fait que la prêter à une histoire de son cru mal inspirée mal dite et chaque fois si ancienne si oubliée que peut lui paraître conforme celle qu'à la boue nous lui murmurons et cette vie dans le noir la boue ses joies et peines voyages intimités et abandons telle que d'une seule voix sans cesse brisée tantôt une moitié d'entre nous tantôt l'autre nous l'exhalons quand ça cesse de haleter celle à peu de choses près qu'il avait formulée

et dont sans se lasser tous les quelque vingt ou quarante ans au dire de certains de ses chiffres il rappelle à nos abandonnés les grandes lignes

et cette voix anonyme se disant quaqua à nous tous d'abord dehors de toutes parts puis en nous des bribes quand ça cesse de haleter à peine audible dénaturée certainement la voilà enfin jusqu'à nouvel avis la voix de celui qui avant de nous écouter murmurer ce que nous sommes nous l'apprend de son mieux

celui à qui nous devons par ailleurs de ne jamais manquer de vivres et de pouvoir de ce fait avancer sans repos ni cesse

celui qui ma foi je cite toujours doit parfois se demander si à ces perpétuelles fournitures communications écoutes et rédactions il ne saurait mettre un terme tout en nous conservant dans un certain être sans fin et une justice sans faille on le ferait à moins

et si finalement il n'aurait pas intérêt à raconter ça autrement en nous faisant savoir par exemple une fois pour toutes que cette diversité n'est pas pour nous où de voyageurs solitaires nous devenons bourreaux de nos prochains immédiats et d'abandonnés leurs victimes

ni tout cet air noir qui circule à travers nos rangs et enchâsse comme dans une thébaïde nos couples et nos solitudes aussi bien du voyage que de l'abandon

mais qu'en réalité nous sommes tous depuis l'impensable premier jusqu'au non moins impensable dernier collés les uns aux autres dans une imbrication des chairs sans hiatus

car nous l'avons vu deuxième partie comment c'était avec Pim le rapprochement jusqu'à se toucher de la bouche et de l'oreille entraîne un léger chevauchement des chairs dans la région des épaules

et qu'ainsi reliés directement les uns aux autres chacun d'entre nous est en même temps Bom et Pim bourreau victime pion cancre demandeur défendeur muet et théâtre d'une parole retrouvée dans le noir la boue là rien à corriger

voilà donc derniers chiffres le 777 777 toujours lui à l'instant où il enfonce l'ouvre-boîte dans le cul du 777 778 et obtient en réponse un faible cri auquel nous l'avons vu il coupe court par le coup sur le crâne qui stimulé au même instant et de façon identique par le 777 776 lâche lui aussi sa plainte à laquelle même sort quelque chose là qui ne va pas

et à l'instant où par le 777 776 griffé à l'aisselle il chante obtient du 777 778 en usant du même procédé qu'il en fasse autant

ainsi de suite et de même tout le long de la chaîne dans les deux sens pour toutes nos autres joies et peines tout ce que de l'un à l'autre inconcevable bout de cette immesurable souille nous obtenons et supportons les uns des autres

formulation à nuancer certes à la lumière de nos limites et possibilités mais qui aura toujours l'avantage en supprimant tout voyage tout abandon de supprimer du même coup toute occasion de sacs et de voix quaqua puis en nous quand ça cesse de haleter

et la procession qui semblait devoir s'éterniser notre justice de l'arrêter sans qu'un seul d'entre nous soit lésé car à vouloir l'arrêter sans fermer au préalable nos rangs de deux choses l'une

on l'arrête à l'époque des couples et en ce cas une moitié d'entre nous bourreaux à perpétuité victimes à perpétuité l'autre

on l'arrête à l'époque des voyages et en ce cas c'est la solitude certes assurée pour tous mais pas dans la justice puisque le voyageur à qui la vie doit une victime n'en aura jamais plus comme n'aura jamais plus de bourreau l'abandonné à qui la vie en doit un et autres iniquités les ignorer haleter plus fort une seule suffit dernières bribes tout à fait quand ça cesse de haleter tâcher de saisir derniers murmures tout à fait

comme quoi d'abord pour en finir avec ce pas des nôtres

son rêve de pouvoir mettre fin à nos voyages abandons besoin de vivres et murmures

aux épuisantes prestations de toute nature qui en résultent pour lui

sans pour autant en être réduit à nous enfoncer d'un seul coup tous jusqu'à l'inimaginable dernier sous cette boue noire dont rien ne viendrait plus souiller la surface

dans la justice et la sauvegarde de nos activités essentielles

cette nouvelle formulation autant dire cette nouvelle vie pour en finir avec ça

question soudain si malgré cette conglomération de tous nos corps nous n'accusons pas encore une lente translation d'ouest en est on est tenté

si l'on veut bien considérer que si en tant que bourreaux notre intérêt est de rester tranquilles en tant que victimes il nous engage à partir et que de ces deux aspirations aux prises en chaque cœur il serait normal que la seconde l'emporte ne serait-ce que de peu

car nous l'avons vu du temps des voyages et abandons et cela est même frappant quand on y pense seules voyageaient les victimes

leurs bourreaux comme frappés de stupeur au lieu de s'élancer à leurs trousses jambe droite bras droit pousse tire dix mètres quinze mètres restant là où abandonnés rançon peut-être de leurs exertions mais effet aussi de notre justice

quoique celle-ci en quoi amoindrie par un branle-bas général on ne voit pas

comportant pour tout un chacun la même obligation exactement celle de fuir sans crainte tout en poursuivant sans espoir

et si l'on peut encore à cette heure tardive concevoir d'autres mondes

aussi justes que le nôtre mais moins exquisement organisés

un peut-être il s'en trouve un peut-être assez miséricordieux pour abriter de tels ébats où personne n'abandonne jamais personne et personne n'attend jamais personne et jamais deux corps ne se touchent et s'il peut paraître étrange que sans vivres pour nous soutenir nous puissions ainsi nous traîner à la faveur de nos souffrances net réunies d'ouest en est vers une paix inexistante nous sommes priés de bien vouloir considérer

que pour des comme nous et de quelque façon qu'on nous raconte plus de nourriture dans un cri voire un soupir arraché à celui dont le silence est le seul bien ou dans la parole extorquée à qui enfin avait pu en perdre l'usage que n'en offriront jamais les sardines

pour en finir donc avec tout ça enfin dernières bribes tout à fait quand ça cesse de haleter pour en finir avec cette voix autant dire cette vie

ce pas des nôtres ressasseur fou lui aussi de lassitude pour en finir avec lui

n'a-t-il pas sous la main je cite toujours une solution plus simple de beaucoup et plus radicale

une formulation qui en même temps qu'elle le supprimerait tout à fait et lui ouvrirait la voie de ce repos-là au moins me rendrait moi seul responsable de cet inqualifiable murmure dont voici par conséquent enfin les dernières bribes tout à fait sous la forme familière de questions que je me poserais moi et de réponses que je me ferais moi aussi invraisemblable que cela puisse paraître dernières bribes tout à fait quand ça cesse de haleter derniers murmures tout à fait aussi étrange que cela puisse paraître

si tout ça tout ça oui si tout ça n'est pas comment dire pas de réponse si tout ça n'est pas faux oui

tous ces calculs oui explications oui toute l'histoire d'un bout à l'autre oui complètement faux oui

ça s'est passé autrement oui tout à fait oui mais comment pas de réponse comment ça s'est passé pas de réponse qu'est-ce qui s'est passé pas de réponse QU'EST-CE QUI S'EST PASSÉ hurlements bon

il s'est passé quelque chose oui mais rien de tout ça non de la foutaise d'un bout à l'autre oui cette voix quaqua oui de la foutaise oui qu'une voix ici oui la mienne oui quand ça cesse de haleter oui

quand ça cesse de haleter oui ça alors c'était vrai oui le halètement oui le murmure oui dans le noir oui dans la boue oui à la boue oui

difficile à croire aussi oui que j'aie une voix moi oui en moi oui quand ça cesse de haleter oui pas à d'autres moments non et que je murmure moi oui dans le noir oui la boue oui pour rien oui moi oui mais il faut le croire oui

et la boue oui le noir oui vrais oui la boue et le noir sont vrais oui là rien à regretter non

mais ces histoires de voix oui quaqua oui d'autres mondes oui de quelqu'un dans un autre monde oui dont je serais comme le rêve oui qu'il rêverait tout le temps oui raconterait tout le temps oui son seul rêve oui sa seule histoire oui

ces histoires de sacs déposés oui au bout d'une corde sans doute oui d'une oreille qui m'écoute oui d'un souci de moi d'une faculté de noter oui tout ça de la foutaise oui Krim et Kram oui de la foutaise oui

et ces histoires de là-haut oui la lumière oui les ciels oui un peu de bleu oui un peu de blanc oui la terre qui tourne oui clair et moins clair oui petites scènes oui de la foutaise oui les femmes oui le chien oui les prières les homes oui de la foutaise oui

et cette histoire de procession pas de réponse cette histoire de procession oui jamais eu de procession non ni de voyage non jamais eu de Pim non ni de Bom non jamais eu personne non que moi pas de réponse que moi oui ça alors c'était vrai oui moi c'était vrai oui et moi je m'appelle comment pas de réponse MOI JE M'APPELLE COMMENT hurlements bon

que moi en tout cas oui seul oui dans la boue oui le noir oui ça tient oui la boue et le noir tiennent oui là rien à regretter non avec mon sac non plaît-il non pas de sac non plus non même pas un sac avec moi non

que moi oui seul oui avec ma voix oui mon murmure oui quand ça cesse de haleter oui tout ça tient oui haletant oui de plus en plus fort pas de réponse DE PLUS EN PLUS FORT oui aplati sur le ventre oui dans la boue oui le noir oui là rien à corriger non les bras en croix pas de réponse LES BRAS EN CROIX pas de réponse OUI OU NON oui

jamais rampé l'amble non jambe droite bras droit pousse tire dix mètres quinze mètres non jamais bougé non jamais fait souffrir non jamais souffert pas de réponse JAMAIS SOUFFERT non jamais abandonné non jamais été abandonné non alors c'est ça la vie ici pas de réponse C'EST ÇA MA VIE ICI hurlements bon

seul dans la boue oui le noir oui sûr oui haletant oui quelqu'un m'entend non personne ne m'entend non murmurant quelquefois oui quand ça cesse de haleter oui pas à d'autres moments non dans la boue oui à la boue oui moi oui ma voix à moi oui pas à un autre non à moi tout seul oui sûr oui quand ça cesse de haleter oui de loin en loin quelques mots oui quelques bribes oui que personne n'entend oui mais de moins en moins pas de réponse DE MOINS EN MOINS oui

alors ça peut changer pas de réponse finir pas de réponse je pourrais suffoquer pas de réponse m'engloutir pas de réponse plus souiller la boue pas de réponse le noir pas de réponse plus troubler le silence pas de réponse crever pas de réponse CREVER hurlements JE POURRAIS CREVER hurlements JE VAIS CREVER hurlements bon

bon bon fin de la troisième partie et dernière voilà comment c'était fin de la citation après Pim comment c'est

CET OUVRAGE A ÉTÉ ACHEVÉ D'IMPRIMER LE TRENTE ET UN JANVIER MIL NEUF CENT SOIXANTE NEUF SUR LES PRESSES DE L'IMPRIMERIE DE LA MANUTENTION A MAYENNE ET INSCRIT DANS LES REGISTRES DE L'ÉDITEUR SOUS LE NUMÉRO 706

Imprimé en France